D1062587

LE GRAND ATELIER DES
TRAVAUX PRATIQUES

LE GRAND ATELIER DES
TRAVAUX PRATIQUES

Nick Huckleberry Beak, Petra Boase,
Thomasina Smith, Jacki Wadeson

Sélection

Champagne
inc.

Édition originale 1998 au Royaume-Uni par Lorenz Books
sous le titre *The Really Big Book of Amazing Things to Make and Do*

© 1998, Anness Publishing Limited
© 1999, Manise, une marque des Éditions Minerva
(Genève, Suisse) pour la version française

Toute reproduction ou représentation intégrale
ou partielle de l'ouvrage, par quelque procédé que ce soit,
est strictement interdite san s l'autorisation écrite de l'éditeur.

Projets et activités imaginés par :
Nick Huckleberry Beak, *Jeux de cirque, Farces et tours de magie*
Petra Boase, *Modelage, Fils tressés multicolores,*
Peinture sur tee-shirts
Thomasina Smith, *Modelage, Masques de fête,*
Peinture du visage et du corps
Jacki Wadeson, *Coiffures de rêve*

Éditrice : Joanna Lorenz
Éditrice des livres pour enfants : Sue Grabham
Responsable du projet : Lyn Coutts
Photographies : John Freeman, Tim Ridley
Stylisme : Siân Keogh, Axis Design
Assistant stylisme : Christos Chrysanthou, Axis Design

Traduction : Gisèle Pierson

ISBN 2-84198-136-3

Dépôt légal : mars 1999

Imprimé en Chine

Distribué par
Sélection Champagne Inc.
Montréal, Québec
(514) 595-3279

Attention

Le degré d'intervention des adultes dépend des capacités et
de l'âge de l'enfant. Pour les projets nécessitant soit l'usage de
couteaux ou autres objets coupants, soit une cuisson au four,
la présence d'un adulte est préférable. Veillez à garder hors
de portée des jeunes enfants tous objets et outils dangereux.

Sommaire

Introduction

Si tu désires tresser des bracelets et des colliers, créer des objets en pâte à sel ou accomplir des tours de magie, ce livre est fait pour toi. Tu y trouveras plus de 120 super idées à réaliser étape par étape grâce à des instructions détaillées et à des photographies en couleurs.

Tu réussiras la plupart des projets sans aucune aide, seuls quelques-uns réclameront l'intervention d'un adulte. Si tu le souhaites, invite tes amis à venir participer à certaines des activités proposées.

Tu peux suivre à la lettre les instructions et les modèles donnés ou les modifier, en adaptant par exemple un cadre de photo au décor de ta chambre ou un bracelet d'amitié à ta tenue favorite. Il suffit pour cela d'en changer les couleurs. Tu peux bien entendu t'inspirer de certaines réalisations pour créer une œuvre originale.

Le plus important est de t'amuser, d'être satisfait de tes œuvres et de faire attention en utilisant certains outils. Pour t'aider, lis attentivement les conseils qui suivent.

Fournitures nécessaires

Tu peux réaliser tous les projets de ce livre chez toi, dans la cuisine ou sur une table peu fragile. Certains nécessitent des fournitures spécifiques mais la plupart utilisent des objets courants.

La liste suivante comprend l'essentiel du matériel et de l'équipement de base nécessaires.

Tablier Pour éviter de salir tes vêtements avec la peinture, le maquillage ou la colle, porte une blouse ou un tablier. Tu peux aussi utiliser un vieux sweat-shirt que tu enfileras devant derrière pour te protéger.

Bristol et papier Il te faudra du bristol et du papier blancs et de couleurs vives, et quelquefois des grandes feuilles de bristol ou de papiers spéciaux, mais la plupart des réalisations se font avec des boîtes de céréales vides ou des morceaux de papier.

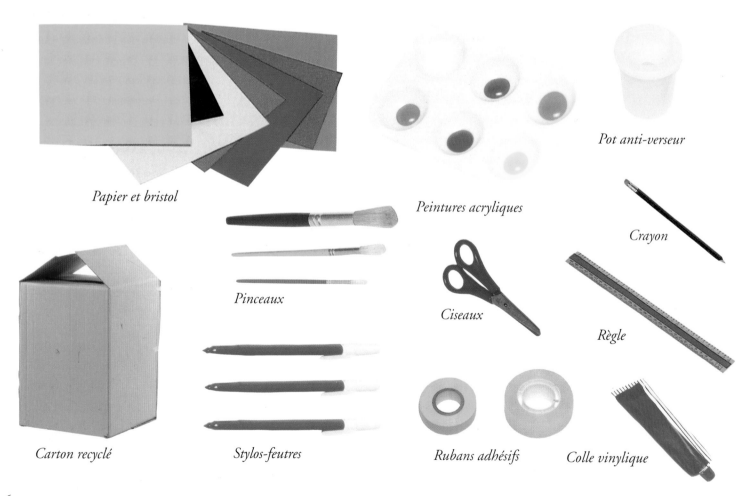

Papier et bristol

Peintures acryliques

Pot anti-verseur

Crayon

Pinceaux

Ciseaux

Règle

Carton recyclé

Stylos-feutres

Rubans adhésifs

Colle vinylique

Carton Certaines réalisations réclament du carton épais ou ondulé. Les vieilles boîtes vides sont très utiles.

Stylos-feutres Indispensables pour le papier ou le bristol. Choisis le feutre approprié, à pointe fine ou à pointe épaisse.

Pot anti-verseur pour la peinture et l'eau Pot avec couvercle spécial qui, comme son nom l'indique, évite à son contenu de se renverser, très pratique pour mélanger les peintures et nettoyer les pinceaux.

Pinceaux Il en existe de nombreuses formes et tailles. Il te faut des pinceaux fins pointus et, pour peindre les grandes surfaces, de gros pinceaux plats.

Peintures Il existe toutes sortes de peintures et il est important d'utiliser celle appropriée à ta réalisation : peinture claire et fluide, ou au contraire peinture épaisse et de couleur vive qui recouvrira bien ce qui est imprimé sur le papier ou les emballages recyclés.

La peinture acrylique convient parfaitement pour décorer la plupart des surfaces. Elle peut être diluée avec de l'eau ou utilisée telle quelle, directement dans le tube, sur une

Enfile un tablier ou un vieux tee-shirt pour éviter de te tacher.

palette ou dans un pot, pour obtenir des couleurs vives. Tu la trouveras dans les papeteries et les boutiques d'artisanat-loisirs. Tu peux aussi utiliser de la peinture pour affiches.

Crayon Le crayon à mine de plomb sert à tracer les dessins ou à marquer des repères sur un objet. Un crayon gras est également nécessaire pour les gabarits et les pochoirs. Une gomme te permettra d'effacer les erreurs.

Colle vinylique Cette colle est également connue sous le nom de colle blanche, colle liquide ou colle à bois. À base d'eau, elle se nettoie facilement sous le robinet. La colle vinylique est blanche, ce qui permet de vérifier les collages, mais elle devient transparente en séchant. Tu peux l'appliquer au pinceau ou avec un applicateur spécial.

Cette colle permet de coller la plupart des matériaux : papier, carton, bois, cellophane, tissu et plastique. Elle est parfaite pour faire du papier mâché et pour coller les paillettes. Si tu veux faire tenir de la peinture sur du plastique, commence par mélanger un peu de colle vinylique à la peinture.

Tu peux réaliser un vernis en mélangeant huit mesures de colle pour une mesure d'eau. Passe ce mélange sur l'œuvre terminée pour obtenir une surface lisse et brillante.

Règle Il te faut une règle pour prendre les mesures et pour tracer des lignes droites. Elle doit être divisée en centimètres (cm) et en millimètres (mm).

Ciseaux Il existe deux sortes de ciseaux : à lames pointues et à bouts ronds. Les ciseaux à lames arrondies sont moins dangereux mais généralement peu adaptés pour couper du bristol épais ou du carton. Si tu dois utiliser des ciseaux pointus, demande l'aide d'un adulte. Pour certains projets, tu peux te servir de ciseaux crantés et obtenir ainsi un effet décoratif.

Rubans adhésifs Tu t'en serviras tout au long de ce livre. Pour assembler du papier léger, prends du ruban adhésif transparent ordinaire. Pour du bristol ou du carton, il faut du ruban plus solide, par exemple de l'adhésif de masquage, repositionnable et facile à peindre. Le ruban adhésif isolant d'électricien, très solide, existe en diverses couleurs vives et permet de réaliser des décorations.

S'il te manque certaines fournitures pour l'un des projets, trouve un produit de remplacement approprié. Tu obtiendras peut-être un résultat encore plus réussi !

Matériaux recyclables

Dans toutes les maisons on trouve des tas de choses qui, après recyclage, serviront aux projets de ce livre. Conserve tes trésors dans une grande boîte et vérifie attentivement avant de les jeter tous les objets que tu peux récupérer et transformer. Voici une liste que tu compléteras selon tes trouvailles :

- papier d'emballage
- rubans et ficelles
- perles et boutons
- briques de lait ou de jus de fruits
- cartes de vœux
- boîtes de conserve vides à bord non coupant
- magazines et journaux
- bouteilles en plastique
- chutes de tissu
- capsules de bouteilles
- pots de yaourts
- emballages de produits alimentaires en carton léger
- boîtes en carton ondulé
- tubes en carton
- boîtes d'œufs
- bâtons de sucettes
- collerettes de gâteaux en papier d'aluminium
- bouchons
- coquillages
- bobines vides
- papiers de bonbons

Lave toujours à l'eau chaude savonneuse les pots de yaourts et les briques ayant contenu du lait ou du jus de fruits.

Il faut savoir s'arrêter. Si ta boîte est pleine d'emballages recyclés, cesse de les amasser et commence à les utiliser ! N'oublie pas de recycler les morceaux de papier ou de bristol qui restent d'une réalisation précédente, ils pourront sûrement te servir à nouveau.

Comment retirer les étiquettes

Remplis une bassine d'eau chaude et mets à tremper la bouteille ou la boîte pendant 10 minutes. Si l'étiquette ne s'en va pas, fais-la tremper encore et frotte avec une éponge à récurer.

Comment aplatir et découper les boîtes

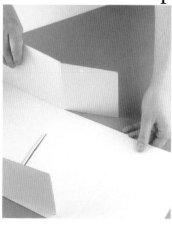

1 Retire les rubans adhésifs éventuels. Mets la boîte à plat.

2 Découpe la boîte avec des ciseaux, en suivant les lignes de pliure.

Jette les parties abîmées ou avec des pliures et garde tes morceaux de carton à plat.

Emballage alimentaire jetable

Couvercle en plastique

Bobine vide

Pot de yaourt

Capsule de bouteille

Boîte de conserve

Brique de lait ou de jus de fruits

Tubes en carton

Boîte d'œufs

Pour commencer

1. Lis attentivement la liste des fournitures nécessaires.

2. Lis toutes les instructions et regarde les photographies pour avoir une idée précise de ce que tu vas réaliser.

3. Rassemble tout ce qui est nécessaire à ton projet. Demande la permission avant d'emprunter quoi que ce soit.

4. Protège tes vêtements avec un tablier ou un vieux tee-shirt et recouvre ta surface de travail de journaux ou de plastique.

5. Étale toutes les fournitures sur ta surface de travail.

6. Prépare un chiffon humide pour essuyer les dégâts éventuels et te nettoyer les mains.

7. Pour couper du carton ou du bristol, pose-les sur une planche à découper.

8. Suis les étapes dans l'ordre et laisse à la colle ou à la peinture le temps de sécher avant de continuer.

9. Demande à un adulte de t'aider si les instructions l'indiquent. Tu ne dois jamais utiliser seul le four ou un outil aiguisé.

10. Ne va pas trop vite. Donne-toi le temps de créer une œuvre vraiment réussie.

Quand tu apprendras à jongler, lis d'abord les instructions avec attention, sinon toutes tes balles tomberont par terre et tu jongleras avec les courants d'air !

Poids et mesures

Les indications sont données en grammes (g), en centilitres (cl) et en millilitres (ml). Les dimensions sont indiquées en centimètres (cm), millimètres (mm) et en mètres (m).

Pour terminer

Quand tu as terminé, tu dois nettoyer et ranger tout ton matériel et rendre ce que tu as emprunté. Garde les chutes et les divers éléments qui peuvent être réutilisés pour un autre projet.

Entretien du matériel

Garde les restes de matériaux à modeler dans des boîtes ou des sachets en plastique hermétiques. La pâte à sel sera enveloppée dans du plastique autoadhésif et conservée au réfrigérateur.

Garde le papier, le bristol et le carton à plat ou roulés et maintenus par un élastique.

Prends grand soin de tes pinceaux. Si tu peins toujours dans le même sens (et non en « aller-retour »), les poils ne s'ébourifferont pas et dureront plus longtemps. Lave toujours les pinceaux après utilisation et essuie-les avec du papier absorbant. Garde-les à plat pour que les poils restent bien droits.

Remets en place les couvercles et les bouchons des stylos-feutres, tubes ou flacons de colle, palettes de peintures à tissu et boîtes de paillettes. Cela leur évitera de sécher ou de s'éparpiller.

Recouvre ta surface de travail avec du papier journal ou du plastique. Cela évitera de salir la table et elle sera plus facile à nettoyer !

Techniques de base

Découper un cercle

Découper un cercle dans du bristol épais ou du carton n'est pas facile. La meilleure façon de procéder est de demander à un adulte de percer un petit trou au centre du cercle avec la pointe des ciseaux. Fais ensuite plusieurs incisions allant du trou vers le bord et tu pourras découper ton cercle sans difficulté.

 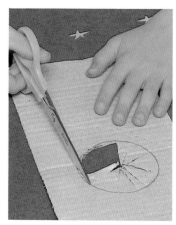

Peindre des objets ronds

Pour empêcher les objets ronds de rouler pendant que tu les peins, pose-les sur un support tel qu'un pot de fleurs en plastique, une tasse ou une boîte d'œufs. Choisis un support d'une taille adaptée à l'objet que tu peins.

Peindre des lignes droites

Colle du ruban de masquage le long de la ligne au crayon tracée sur un objet, en appuyant bien. Applique la peinture en la faisant légèrement dépasser sur le bord du ruban. Quand elle est sèche, retire le ruban avec précaution.

Peindre du plastique

Pour que la peinture adhère sur les surfaces en plastique, ajoute-lui un peu de colle vinylique et mélange bien. Si le mélange est trop épais, ajoute un peu d'eau.

Vernir tes œuvres

Avec de la colle vinylique, tu peux faire un vernis qui donnera à ton œuvre une surface lisse et brillante. Pour cela, mélange dans un bol huit mesures de colle à une mesure d'eau. Le vernis frais est blanc, mais il devient transparent en séchant. Applique-le au pinceau sur une surface sèche.

Mélanger des couleurs

Tu n'as pas besoin d'un grand nombre de couleurs pour tes peintures. Seules sont indispensables les couleurs primaires, rouge, bleu et jaune, ainsi que du noir et du blanc, qui te permettront d'obtenir toutes celles de l'arc-en-ciel.

▲ Mélange du rouge et du bleu pour obtenir du violet.

▲ Mélange du rouge et du jaune pour obtenir de l'orange.

▲ Mélange du bleu et du jaune pour obtenir du vert.

En variant la quantité de chaque couleur primaire, tu obtiendras différents tons de violet, d'orange et de vert. Pour rendre une couleur plus claire ou plus sombre, ajoute du blanc ou du noir, par petite quantité à la fois, jusqu'à obtention de la teinte désirée.

La palette de peintre est très pratique pour mélanger des petites quantités de peinture. Prends un pot de peinture ou de yaourt pour les grandes quantités.

Conseils pour mélanger les couleurs

▲ S'il te faut beaucoup de peinture d'un mélange de couleurs, commence par mélanger une petite quantité. Essaye de te rappeler les couleurs et les proportions utilisées. Quand tu as obtenu la teinte désirée, tu peux mélanger la quantité nécessaire.

▲ La palette de peinture est pratique pour mélanger les petites quantités de couleurs. Pour les grosses quantités, prends plutôt un pot de peinture, un pot de yaourt ou un vieux couvercle.

▲ Change souvent l'eau de ton pot à eau. Si tu ajoutes de l'eau sale à la peinture, elle sera plus foncée.

Sécurité d'abord !

🖐 Garde hors de portée des jeunes enfants tous les petits objets, les outils coupants, les colles, les pâtes à modeler et autres articles dangereux.

🖐 Demande toujours à un adulte d'allumer le four ou le gaz et de t'aider à y mettre les objets ou à les retirer. Porte des gants spéciaux pour manipuler les objets brûlants. Ne touche jamais la plaque du four ou ces objets avant qu'ils aient refroidi.

🖐 Demande la permission à un adulte avant d'emprunter ou d'utiliser un appareil électrique.

🖐 Vérifie avec un adulte que tu peux utiliser un démaquillant ou une crème pour le visage ou le corps. La peinture-maquillage se retire avec du savon doux et de l'eau.

🖐 Les peintures acryliques, stylos-feutres, crayons cire, colles et autres articles de papeterie peuvent irriter la peau. Ne les utilise jamais sur le visage.

🖐 Quand tu fais un trou dans du bristol ou d'autres matériaux, vérifie que les lames des ciseaux sont bien fermées et que la pointe n'est pas dirigée vers toi. Ne mets jamais la main sous l'objet quand tu fais le trou.

🖐 Quand tu coupes un matériau qui risque de te sauter dans l'œil, porte des lunettes de protection que tu trouveras à bon marché dans les magasins de bricolage ou des lunettes de natation.

🖐 Quand tu utilises de la colle, de la peinture ou des paillettes, ne te touche ni la figure ni les yeux, tu risques de les irriter. Lave-toi les mains quand tu as fini.

🖐 Lis toujours le mode d'emploi d'un produit, surtout pour les peintures maquillages et certaines pâtes à modeler.

Décalquer un gabarit

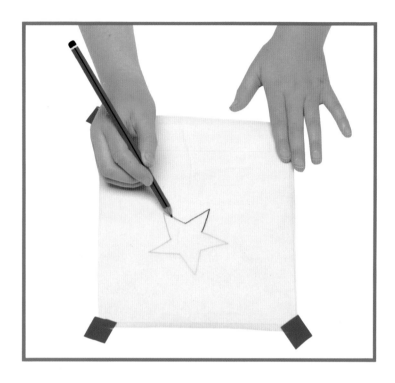

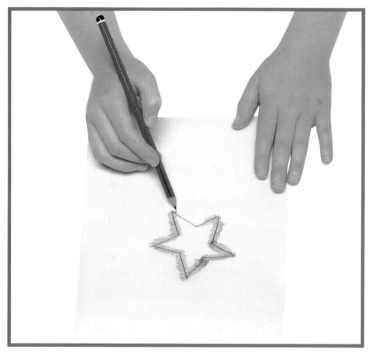

1 Place une feuille de papier-calque sur le modèle et maintiens-la aux angles avec du ruban adhésif. Dessine soigneusement la forme avec un crayon gras.

2 Soulève le papier-calque et retourne-le. Retrace le contour de la forme sur l'envers du papier-calque en frottant avec le crayon.

3 Place le papier-calque sur un morceau de bristol avec l'image que tu viens de frotter contre le bristol. Trace les contours en appuyant bien pour transférer le modèle sur le bristol.

4 Découpe le gabarit dans le bristol. Avec du papier ou du tissu, il te suffit de dessiner la forme au crayon, au stylo-feutre ou au marqueur.

Confection d'un pochoir

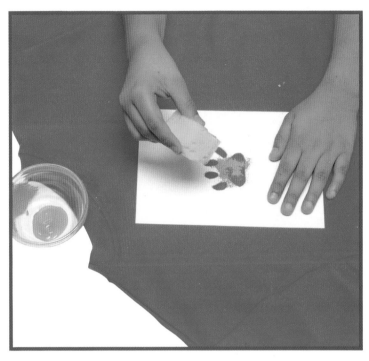

1 Suis les étapes 1 à 3 de la page 12 (décalquer un gabarit) pour faire un calque des contours. Avec des ciseaux, fais une fente au milieu du contour et découpe en suivant la ligne.

2 Pose le pochoir sur le papier, le bristol ou le tissu à décorer. Imbibe légèrement une éponge sèche de peinture, puis tamponne le pochoir avec l'éponge.

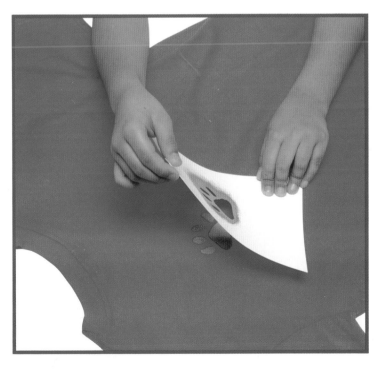

Tu peux répéter indéfiniment le même motif avec un pochoir. Les pattes sur ce tee-shirt sont faites au pochoir avec de la peinture marron.

3 Soulève le pochoir et continue en répétant les étapes 2 et 3. Vérifie qu'il n'y a pas de peinture sur l'envers du pochoir avant de l'appliquer de nouveau.

Modelage

Petra Boase
Thomasina Smith

Introduction

Le modelage n'est pas réservé uniquement à la sculpture d'animaux ou de personnes, il permet également de créer des objets utiles comme des assiettes ou des pots, et même des bijoux qui peuvent être ensuite décorés. Dans les civilisations anciennes, les ustensiles de cuisine étaient presque tous fabriqués avec de l'argile durcie par la cuisson au four.

Les Grecs de l'Antiquité travaillaient l'argile pour fabriquer des jarres qui servaient à récupérer l'eau et à conserver les aliments. Ces pots étaient très souvent décorés d'images ou de motifs peints.

Types de matériaux à modeler

Dans ce chapitre, nous employons plusieurs sortes de matériaux à modeler. Certains projets réclament une pâte à modeler à cuire au four, d'autres une pâte qui durcit à l'air, et d'autres encore une pâte souple qui peut être réutilisée.

Tu trouveras aussi des modèles en pâte à sel, facile à fabriquer en suivant la recette donnée page 19. Toutes les autres pâtes à modeler s'achètent dans les boutiques de jouets ou d'artisanat-loisirs.

Conserve toujours tes pâtes à modeler dans des sachets en plastique bien fermés ou dans des boîtes hermétiques, pour qu'elles restent propres et prêtes à l'emploi. La pâte durcissant à l'air devient inutilisable si tu laisses le pot ouvert.

Ce que tu peux réaliser

Tes amis seront stupéfaits de voir tous les objets extraordinaires que tu auras réalisés grâce aux explications données dans ce chapitre : le chat qui sourit, le méchant crocodile ou le gentil dinosaure, ainsi que des bagues et un bracelet en cœur et en étoile, une assiette torsadée, une malle au trésor de pirate et une fusée spatiale. Le projet le plus impressionnant est sans doute la pendule

à pois, au super cadran en pâte à sel qui donne l'heure !

Après avoir fabriqué ces modèles, pourquoi ne pas te lancer dans tes propres créations ? Rien ne t'empêche d'imaginer d'autres personnages comme Superman et d'inventer leurs aventures. Quand tu sauras modeler des animaux, tu pourras envisager un parc zoologique ou une ferme miniature. Toutes les possibilités te sont ouvertes.

Attention !

Quand tu fais du modelage, tu dois suivre quelques règles importantes.

🖐 Pour couper un morceau de pâte à modeler, prends un couteau rond ou la lame arrondie d'un outil de modelage. La pâte est souple et tu n'as aucun besoin d'ustensiles très coupants.

🖐 Demande toujours à un adulte d'allumer le four à la bonne température, et de t'aider à mettre et retirer la plaque. Porte des gants de protection pour manipuler les objets brûlants et attends qu'ils aient refroidi pour les prendre à mains nues.

🖐 Garde les plaques brûlantes et les pâtes à modeler hors de portée des jeunes enfants.

Fournitures et matériel

⌃ **Peintures acryliques.** Peintures à base d'eau offrant toute une gamme de couleurs vives.

⌃ **Pâte à modeler à cuire.** Pâte qui durcit quand elle est cuite au four. Existe en plusieurs coloris. Lis toujours les instructions données sur le paquet.

⌃ **Plaque de cuisson.** Pour faire cuire les objets en pâte à cuire.

⌃ **Emporte-pièce à pâtisserie en plastique ou en métal.** Ils servent à découper des formes dans la pâte à modeler.

⌃ **Planche à découper.** Elle te permet de protéger la table quand tu fais du modelage. Lave-la bien après usage.

⌃ **Grille à pâtisserie.** Pour laisser refroidir les formes en pâte à sel cuites au four, avant de les peindre.

⌃ **Pâte à modeler durcissant à l'air.** Cette pâte blanche ou couleur terre cuite durcit sans cuire en 24 heures environ. Pense à lire le mode d'emploi.

⌃ **Papier de verre fin.** Avant de peindre la pâte à sel, ponce les contours avec du papier de verre.

⌃ **Outils de modelage.** Le plus utile possède une extrémité pointue et une plate. Tu peux l'utiliser pour sculpter.

⌃ **Gants de protection.** Porte-les pour retirer la plaque du four chaude et pour manipuler la pâte à sel brûlante.

⌃ **Papier sulfurisé.** Il empêche la pâte à sel de coller à la plaque pendant la cuisson.

⌃ **Pâte à modeler plastique.** Ce matériau bon marché et réutilisable existe en toutes sortes de couleurs vives. Comme il ne durcit pas, tes objets seront moins durables.

⌃ **Colle vinylique.** Cette colle forte sert à coller mais elle peut aussi être diluée avec de l'eau pour donner un vernis.

⌃ **Rouleau à pâtisserie.** Pour étaler la pâte à sel. Farine-le d'abord pour empêcher la pâte de coller.

⌃ **Grand verre épais.** Il te servira à étaler les pâtes à modeler à cuire, durcissant à l'air ou plastique qui colleraient au rouleau à pâtisserie.

⌃ **Vernis.** Si tu ne veux pas fabriquer ton vernis avec de la colle vinylique, tu peux l'acheter tout fait dans les magasins d'artisanat-loisirs.

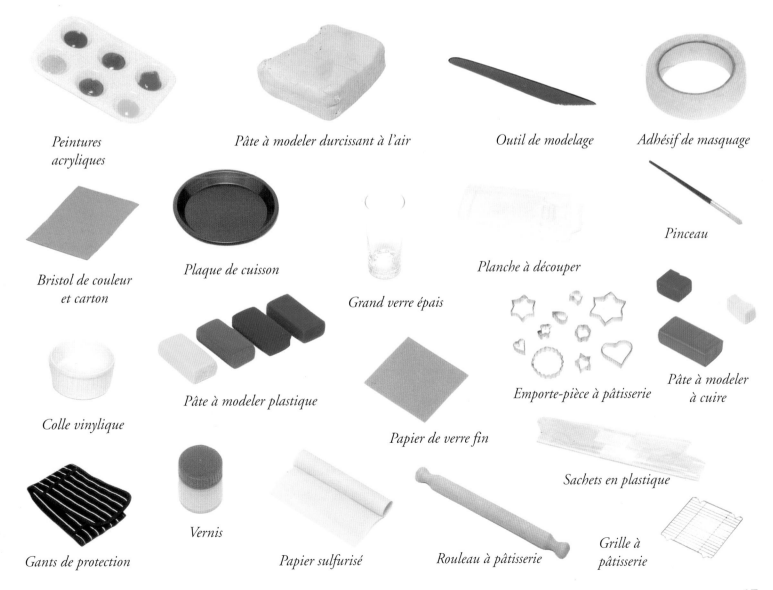

Peintures acryliques

Pâte à modeler durcissant à l'air

Outil de modelage

Adhésif de masquage

Bristol de couleur et carton

Plaque de cuisson

Grand verre épais

Planche à découper

Pinceau

Colle vinylique

Pâte à modeler plastique

Papier de verre fin

Emporte-pièce à pâtisserie

Pâte à modeler à cuire

Gants de protection

Vernis

Papier sulfurisé

Rouleau à pâtisserie

Sachets en plastique

Grille à pâtisserie

Techniques de base

Ces techniques de base s'appliquent aux pâtes à modeler
à cuire, durcissant à l'air et plastique.

*Assouplis la pâte avec tes
mains. Grâce à leur chaleur,
elle sera plus facile à modeler.*

*Aplatis ta pâte en la roulant
avec un grand verre épais.
Tes mouvements doivent être
réguliers pour que la surface
soit lisse et l'épaisseur égale.*

Modeler la pâte

Tu peux rouler avec les mains des boules rondes ou ovales
et des boudins. Pour modeler la pâte, il faut être patient
et travailler doucement. Si tu appuies trop fort, les boules
s'écraseront et tes boudins seront irréguliers. Pour donner
du relief, lisser les raccords ou couper la pâte, il est préférable
d'utiliser un outil de modelage. Pour les petites finitions comme
les traits du visage, un cure-dents convient très bien. Tu peux
aussi mouler la pâte sur une assiette ou autour d'une tasse.

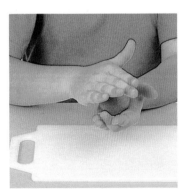

*Pour faire un rouleau ou un
boudin, roule la pâte d'avant
en arrière sur une planche
avec la main. Déplace ta main
de droite à gauche pour
donner une épaisseur régulière.*

*La meilleure façon d'obtenir
une boule de pâte bien ronde
est de la rouler entre tes
paumes. Pour former un dôme,
coupe la boule en deux avec
un outil de modelage.*

Fixer les membres au corps

*Pour réunir les membres
au corps, fais des petites
entailles sur les deux surfaces,
presse-les bien l'une contre
l'autre et sers-toi de l'outil
pour souder la jointure.*

*Tu peux aussi creuser le corps
avec le bout pointu de l'outil
de modelage. Affine l'extrémité
d'un membre pour l'ajuster
au corps.*

Séparer les couleurs

Pour empêcher les couleurs de se mélanger, fixe des feuilles
de papier blanc sur ta surface de travail ou sur la planche
à découper et ne travaille qu'une seule couleur par feuille.
Quand tu auras terminé, garde le papier pour la prochaine
fois et pour la même couleur.

Comment faire la pâte à sel

Pour certains modèles, il te faudra de la pâte à sel.

INGRÉDIENTS ET MATÉRIEL NÉCESSAIRES

300 g de sel

300 g de farine

2 cuil. à soupe d'huile végétale

20 cl d'eau

Saladier

Balance

Cuillère en bois

Verre gradué

Sachet en plastique

1 Mesure la quantité nécessaire de farine et de sel et mets-les ensemble dans la terrine.

2 Mesure 20 cl d'eau dans le verre gradué. Verse lentement l'eau sur la farine et le sel en mélangeant.

3 Verse l'huile dans le saladier et mélange bien. Quand toute l'huile est absorbée, retire la pâte du saladier et pose-la sur une surface propre et farinée.

4 Pétris bien la pâte puis mets-la dans un sachet en plastique ou enveloppe-la dans un film plastique. Mets-la 30 minutes au réfrigérateur avant de l'utiliser.

Conseil pratique

Si tu n'utilises pas toute la pâte à sel préparée, garde ce qui reste au réfrigérateur dans un récipient hermétique ou un sachet en plastique. Quand tu voudras t'en servir, il suffira de la fariner et de la pétrir pour l'assouplir et la rendre plus facile à travailler. Rappelle-toi que les objets en pâte à sel sont fragiles et qu'il faut les manipuler avec précaution.

Le cadre aux serpents

Des serpents ! Au secours ! Ces drôles
de serpents peuvent encadrer une photo
ou un miroir.

Conseil pratique

La longueur des serpents varie selon
la dimension de ton cadre. Pour
un cadre rectangulaire, tu devras faire
deux serpents longs et deux courts.

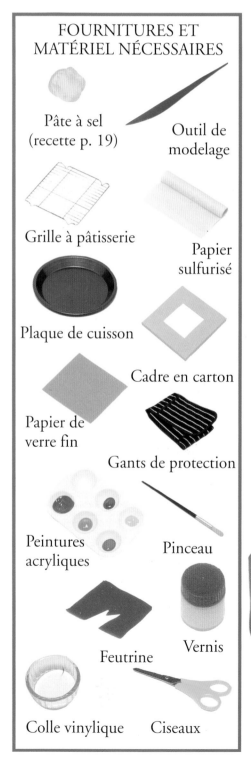

FOURNITURES ET MATÉRIEL NÉCESSAIRES

Pâte à sel
(recette p. 19)

Outil de
modelage

Grille à pâtisserie

Papier
sulfurisé

Plaque de cuisson

Cadre en carton

Papier de
verre fin

Gants de protection

Peintures
acryliques

Pinceau

Feutrine

Vernis

Colle vinylique   Ciseaux

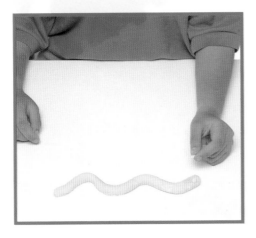

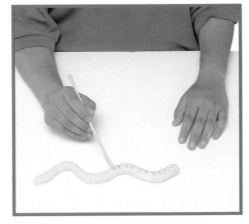

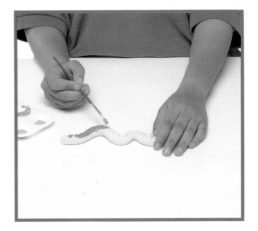

1 Roule un long boudin de pâte à sel. Donne-lui la forme d'un serpentin. Fais deux minuscules boules de pâte pour les yeux et fixe-les à l'une des extrémités du serpent. Fabrique trois autres serpents de la même façon.

2 Avec l'outil de modelage, décore les serpents de dessins variés, taches et rayures pour faire les écailles. Mets les serpents sur une feuille de papier sulfurisé, sur la plaque de cuisson, et fais-les cuire au four à 120 °C pendant 4 heures environ.

3 Lorsque les serpents sont bien durs, sors-les du four avec les gants et pose-les sur la grille à pâtisserie. Lorsqu'ils ont refroidi, ponce-les au papier de verre avant de les peindre et de les vernir.

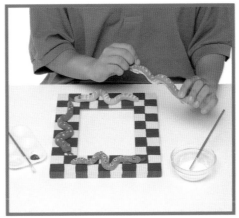

Le cadre aux pâquerettes

Tu peux remplacer les serpents par des pâquerettes en pâte à sel. Procède de même, mais découpe les pâquerettes avec un emporte-pièce à pâtisserie.

4 Pour faire la langue des serpents, découpe un morceau de feutrine de couleur en forme de Y. Colle une langue sous la tête de chaque serpent. La partie fourchue doit dépasser.

5 À l'aide d'une règle et d'un crayon, trace un motif à carreaux tout autour de ton cadre. Peins le cadre en deux couleurs, comme indiqué. Pour terminer, colle un serpent sur chaque côté du cadre.

Ce cadre apportera une note de gaieté sur une étagère ou sur un mur. Tu peux également peindre des fleurs et décorer un cadre rond ou ovale assorti au décor de ta chambre.

La fusée spatiale

Cette fusée est composée d'une structure en carton recouverte de pâte à modeler, ce qui la rend plus solide. Tu pourras ainsi lui ajouter des accessoires et des décorations de toutes sortes.

FOURNITURES ET MATÉRIEL NÉCESSAIRES

Crayon de couleur

Carton épais

Ciseaux

Règle

Adhésif de masquage

Planche à découper

Outil de modelage

Grand verre épais

Pâte à modeler plastique (blanche, noire, violette, verte, orange, jaune)

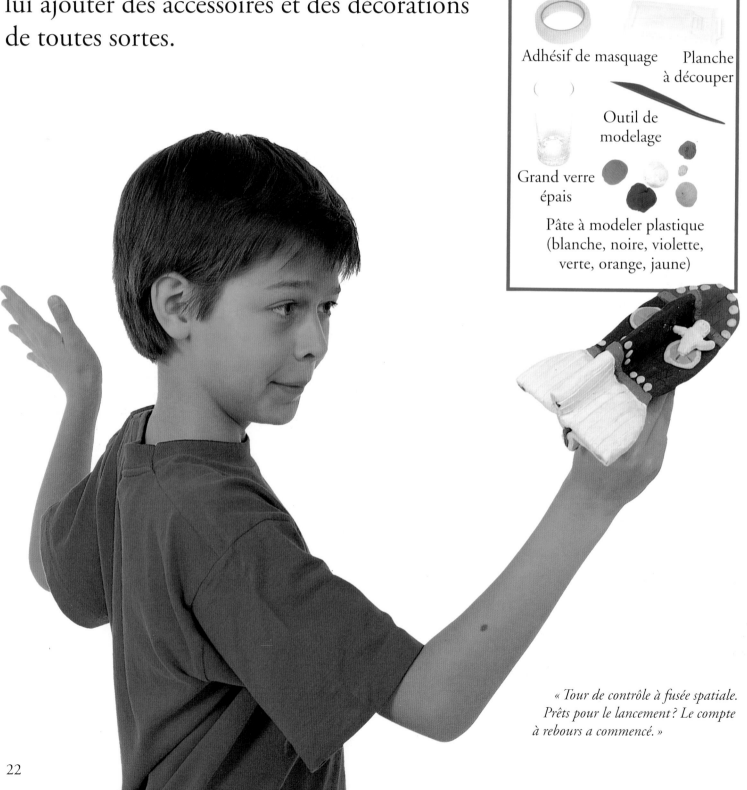

« Tour de contrôle à fusée spatiale. Prêts pour le lancement? Le compte à rebours a commencé. »

1 Sur un morceau de carton, dessine deux formes de 20 cm de long sur 8 cm de large, comme indiqué. Sur l'une, dessine une fente en longueur, large de 3 mm. Sur l'autre, dessine une aile en demi-cercle de chaque côté.

2 Découpe les deux formes et la fente. Glisse la forme ailée dans la fente de façon à ce que la fusée puisse tenir debout. Si elle penche d'un côté, ajuste la base jusqu'à ce qu'elle soit stable. Renforce les jointures avec l'adhésif de masquage.

3 Étale des morceaux de pâte plastique de différentes couleurs. Façonne-les sur le carton en pinçant les morceaux ensemble pour les souder. Égalise les bords et dessine des motifs avec l'outil de modelage.

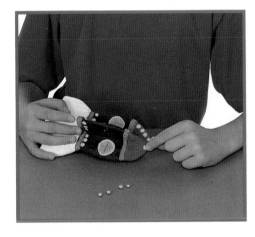

4 Une fois la fusée recouverte de pâte, dispose dessus des petites boules aplaties pour faire des hublots et des rivets.

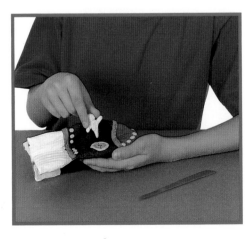

5 Façonne un astronaute en pâte blanche. Creuse un trou dans l'un des hublots et installe l'astronaute à l'intérieur.

Quand tu auras construit ta première fusée spatiale, tu pourras continuer avec d'autres fusées, un laboratoire et des navettes spatiales. Ne fais pas la structure en carton trop grande, la pâte à modeler serait trop lourde et la fusée ne pourrait plus décoller.

La boîte étoilée

Fabrique-la avec des plaques de pâte
à modeler soudées entre elles à
l'aide de l'outil de modelage,
en commençant par l'intérieur.
Une fois la boîte terminée,
lisse les jointures extérieures.
Cette boîte est parfaite pour
ranger des petites choses.

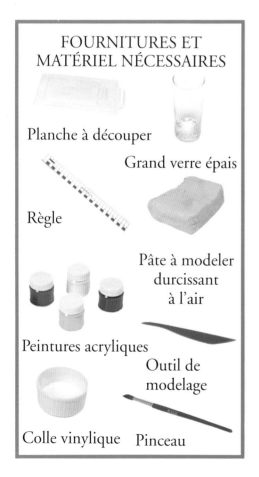

FOURNITURES ET
MATÉRIEL NÉCESSAIRES

Planche à découper

Grand verre épais

Règle

Pâte à modeler
durcissant
à l'air

Peintures acryliques

Outil de
modelage

Colle vinylique   Pinceau

1 Étale un morceau de pâte de 5 mm d'épaisseur. Avec le rebord du verre, découpe deux disques. À l'aide de l'outil de modelage, coupe un rectangle de 25 cm × 5 cm et une bande de 25 cm × 2 cm.

2 Pour le couvercle, aplatis l'un des disques à un diamètre d'environ 5 mm de plus que l'autre. Fais des petites entailles tout autour et fixe la bande la plus étroite en soudant la jointure.

3 Fais des entailles tout autour du deuxième disque et fixe la bande la plus large. Maintiens-la bien pendant que tu soudes ensemble les jointures. N'oublie pas de les lisser à l'intérieur de la boîte.

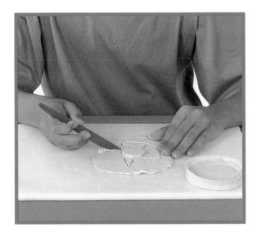

4 Aplatis un morceau de pâte avec le fond du verre pour que sa forme soit circulaire. Découpe un rond dans la pâte qui reste et place-le au centre du cercle. Dessine des rayons de soleil autour.

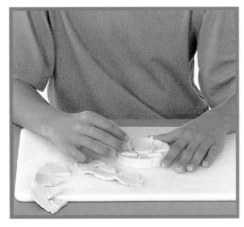

5 Découpe le soleil et pose-le sur le couvercle. Mets le couvercle à sécher sur le fond du verre retourné. Laisse sécher la boîte et son couvercle pendant 24 heures.

Conseils pour la peinture

🖐 Commence par peindre l'intérieur et l'extérieur de la boîte. Pendant qu'elle sèche, peins le dessus et le dessous du couvercle en jaune. Décore la boîte avec des étoiles, puis termine le couvercle avec du bleu et du vert.

🖐 Pour que les étoiles et la lune brillent, saupoudre la peinture fraîche de paillettes d'or ou d'argent.

🖐 Si tu t'intéresses à l'astrologie, peins les signes du zodiaque sur le pourtour de la boîte ou sur le couvercle.

6 Décore la boîte et le couvercle. Après séchage, applique un vernis (8 mesures de colle vinylique, 1 mesure d'eau.)

La pendule à pois

Pour que cette pendule originale marque
l'heure, il te faut un mécanisme d'horloge
et deux aiguilles. Tu peux les acheter dans
une boutique d'artisanat-loisirs. Vérifie
le type de piles requis et lis le mode d'emploi
avant d'assembler le tout.

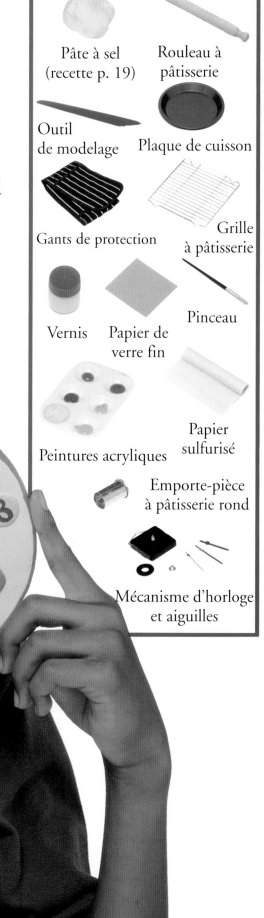

FOURNITURES ET MATÉRIEL NÉCESSAIRES

Pâte à sel
(recette p. 19)

Rouleau à
pâtisserie

Outil
de modelage

Plaque de cuisson

Gants de protection

Grille
à pâtisserie

Vernis

Papier de
verre fin

Pinceau

Peintures acryliques

Papier
sulfurisé

Emporte-pièce
à pâtisserie rond

Mécanisme d'horloge
et aiguilles

1 Étale un morceau de pâte à sel d'environ 1 cm d'épaisseur. Pose l'assiette sur la pâte et découpe tout autour. Repère le centre du cercle et fais un trou avec un cure-dents. Assure-toi que le mécanisme passe dans le trou.

2 Étale un autre morceau de pâte d'environ 5 mm d'épaisseur et découpe douze plaques rondes à l'aide de l'emporte-pièce. Colle avec un peu d'eau quatre de ces ronds sur la base de la pendule pour marquer les heures 12, 3, 6 et 9, et colle les autres entre ces points. Fais cuire la pendule sur une feuille de papier sulfurisé pendant 5 heures environ à 120 °C.

3 Quand la pendule a refroidi, ponce-la avec un morceau de papier de verre. Peins le fond de couleurs pastel, le bord et les ronds de couleurs vives. Utilise la même couleur pour les ronds 12, 3, 6 et 9.

4 Marque ces quatre points en peignant les chiffres correspondants. Quand la peinture est sèche, applique une couche de vernis. Fixe les aiguilles de la pendule et le mécanisme dans le trou central.

Tu peux également décorer ta pendule avec des étoiles, des carrés, des losanges, des cœurs ou des fleurs, obtenus avec des emporte-pièce à pâtisserie. Les formes ne doivent pas être trop grandes ou trop épaisses pour que les aiguilles puissent tourner facilement.

Le crocodile terrifiant

Ce crocodile tout à fait extraordinaire est réalisé dans une pâte spéciale qui durcit à la cuisson… ce qui signifie qu'il montrera ses grandes dents à tous ceux qui passent pendant de longues années. Il faut dire que, à la manière d'un vrai crocodile, il a des dents gigantesques et garde la gueule ouverte pour se rafraîchir.

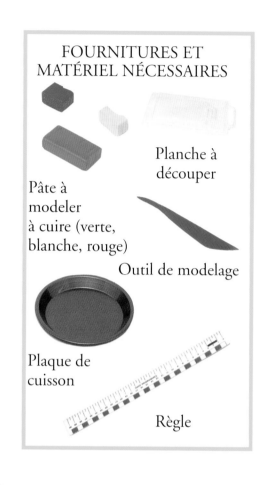

FOURNITURES ET MATÉRIEL NÉCESSAIRES

Planche à découper

Pâte à modeler à cuire (verte, blanche, rouge)

Outil de modelage

Plaque de cuisson

Règle

 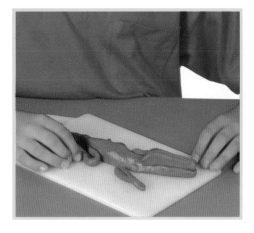 

1 Roule un boudin de 15 cm de long, un de 6 cm de long et quatre de 5 cm de long. Prévois deux petites boules pour les yeux. Avec les deux gros boudins, forme le corps et la mâchoire supérieure.

2 Fixe les pattes et la mâchoire à leur place. Replie les pattes arrière comme le font les crocodiles, ainsi que les pattes avant pour qu'elles soient plus épaisses près du corps. Lisse les jointures avec le doigt.

3 Fixe une petite boule blanche sur chaque petite boule verte, puis ajoute une petite boule rouge pour compléter les yeux. Ajuste-les sur la tête à la jointure du corps et de la mâchoire.

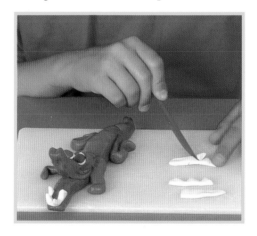 

4 Sur quatre bandes rectangulaires de pâte blanche, découpe des petits triangles qui feront les dents du crocodile. Fixe-les le long des deux mâchoires.

5 À l'aide de l'outil de modelage, sculpte des écailles sur la peau du crocodile. Pose-le sur la plaque de cuisson. Demande à un adulte de le faire cuire en respectant le mode d'emploi.

Pense-bête

Les dents blanches du crocodile peuvent te servir de pense-bête pour te rappeler de te laver les dents. Si tu veux le transformer en porte-brosse à dents, fais ouvrir sa gueule suffisamment pour laisser passer ta brosse.

Sais-tu que le crocodile peut atteindre une longueur de 6 mètres ? N'essaye pas cependant de faire un crocodile grandeur nature, il aurait beaucoup de mal à entrer dans le four !

L'assiette torsadée

Cette assiette est uniquement décorative !
Pour le moule, utilise un plat allant au four.

FOURNITURES ET MATÉRIEL NÉCESSAIRES

Colorants alimentaires
(3 couleurs différentes)

Huile
végétale

Pâte à sel
(recette p. 19)

Grille à pâtisserie

Plat à four

Vernis

Pinceau

Gants de protection

1 Fais trois boules de pâte à sel de taille moyenne. Fais un petit creux au centre d'une boule et verses-y quelques gouttes d'un colorant. Malaxe bien la pâte sur un plan de travail saupoudré de farine pour la colorer entièrement. Fais de même avec les autres boules et colorants.

2 Passe de l'huile sur l'assiette pour empêcher la pâte de coller pendant la cuisson. Roule une boule en un long boudin et enroule-le au centre de l'assiette. Roule un autre boudin avec la seconde boule et attache-le à la suite du premier. Couvre ainsi toute l'assiette.

3 Décore le bord et le centre de l'assiette avec des petits morceaux de pâte colorés. Mets-la à cuire pendant 6 heures environ dans le four réglé à 120 °C. Quand elle est cuite, demande à un adulte de la retirer du four et de la poser sur la grille à pâtisserie.

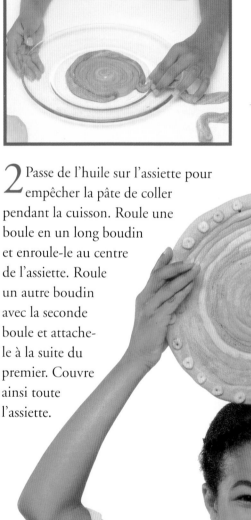

Après refroidissement, passe une couche de vernis sur ton assiette.

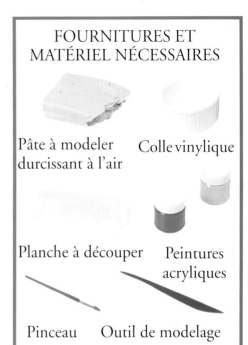

Le pot-serpent

Ce pot ressemble à un serpent endormi enroulé sur lui-même.

FOURNITURES ET MATÉRIEL NÉCESSAIRES

Pâte à modeler durcissant à l'air

Colle vinylique

Planche à découper

Peintures acryliques

Pinceau

Outil de modelage

1 Coupe trois morceaux de pâte à modeler et façonne-les en serpents. Roule-les aussi longs que possible, mais surtout pas trop fins. Enroule l'un des serpents en une base plate pour le fond du pot. Si les anneaux ne sont pas assez étroitement collés, resserre-les.

2 Commence à former le pot en enroulant un deuxième serpent à la verticale sur le bord extérieur de la base. En même temps, lisse la paroi intérieure du pot. Enroule le troisième serpent de la même manière et, quand tu arrives au bout, façonne sa tête. Creuse les yeux et la bouche avec l'outil de modelage et dessine un motif sur le rebord du pot.

Conseil pratique

Pour faire un pot plus grand (un pot à crayons par exemple), façonne des serpents plus gros. S'il te faut davantage de serpents, soude-les les uns aux autres et continue à les enrouler.

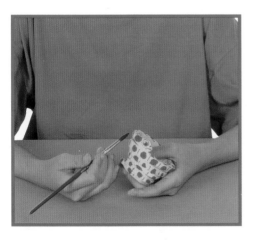

3 Laisse le pot sécher 12 heures de chaque côté avant de le peindre en jaune et rouge. Après séchage, applique un vernis fait avec 8 mesures de colle vinylique pour 1 mesure d'eau.

Ce pot est parfait pour abriter tes petits trésors ou ton argent de poche. Personne n'oserait déranger un serpent qui dort!

Superman

Il porte une cape virevoltante et sa force est surhumaine. Tu peux imaginer tout un monde en pâte à modeler autour des aventures de Superman. Il pourrait par exemple voler à la rescousse d'une cité de gratte-ciel attaquée par des monstres et des dinosaures.

FOURNITURES ET
MATÉRIEL NÉCESSAIRES

Outil de modelage

Planche à découper

Pâte à modeler plastique
(verte, orange, blanche, rouge et jaune)

1 Roule quatre petits boudins et un gros dans de la pâte à modeler verte. Le plus gros sera le corps de Superman. Il doit être plus large en haut qu'à la base.

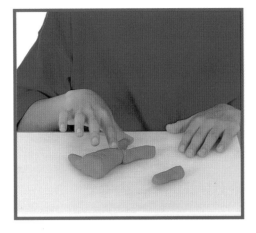

2 Fixe fermement les quatre boudins plus petits à l'emplacement des bras et des jambes. Soude bien les jointures avec le doigt et assure-toi que ton héros parvient à se tenir debout.

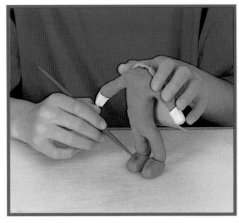

3 Aplatis un morceau de pâte à modeler orange en forme de cape. Façonne deux boules blanches pour les poings et deux rouges pour les chaussures. Fixe-les sur le corps et dessine les détails.

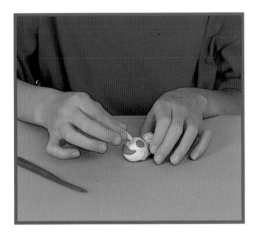

4 Pour la tête, roule une boule de pâte blanche. Utilise des restes de couleur pour faire les yeux, le nez et la bouche. Façonne des cheveux jaunes et fixe-les sur la tête.

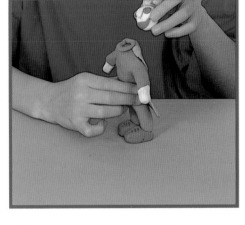

5 Enroule un petit boudin en pâte verte à la place du cou et fixe fermement la tête par-dessus en soudant bien la jointure avec le doigt. Allonge le héros sur le dos.

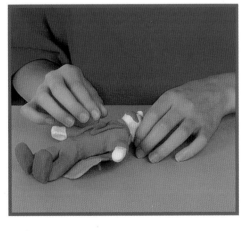

6 Façonne une initiale en pâte rouge et colle-la sur la poitrine de ton Superman.

Ici, le héros s'appelle Wonder Boy, mais si tu décides de l'appeler Superman, change le W en S. Tu peux aussi remplacer la lettre par une étoile, un éclair ou un autre symbole.

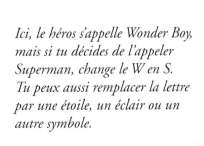

La famille Cochons

Ces trois petits cochons seront très décoratifs sur une étagère ou un rebord de fenêtre. Pourquoi ne pas les offrir à un collectionneur de miniatures ? Une truie peut avoir jusqu'à dix porcelets en une seule portée, alors fais-en autant qu'il te plaît !

FOURNITURES ET MATÉRIEL NÉCESSAIRES

Pâte à sel (recette p. 19)

Cure-dents

Papier sulfurisé

Gants de protection

Plaque de cuisson

Papier de verre fin

Pinceau

Peintures acryliques

Grille à pâtisserie

Vernis

Ces petits cochons sont peints en rose pâle mais tu peux les peindre de la couleur de ton choix ou àvec des motifs. Tu peux aussi leur donner un nom que tu peindras sur l'un des flancs du cochon.

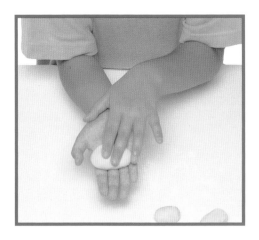

1 Pour chaque cochon, roule dans ta main un petit morceau de pâte de forme ovale. Donne à une extrémité la forme de la tête. Colle deux petits triangles aplatis pour les oreilles. Marque les yeux et les narines à l'aide du cure-dents.

2 Roule un petit boudin de pâte pour faire la queue et fixe-le avec un peu d'eau en lui donnant une forme en tire-bouchon. Mets le cochon sur une feuille de papier sulfurisé et pose-le sur la plaque de cuisson.

3 Façonne les pattes avec des petits bouts de pâte à sel. Mets-les à cuire avec le corps pendant 5 heures environ dans le four réglé à 120 °C.

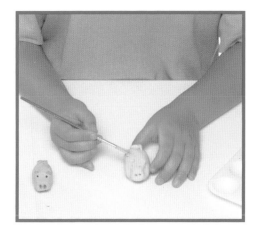

4 Après refroidissement, fixe les pattes sur le corps avec un peu de pâte à sel et d'eau. Remets les cochons dans le four à la même température pendant 2 heures.

5 Lorsque les cochons sont froids, ponce les parties rugueuses avec du papier de verre, peins-les et vernis-les.

⚠ Attention !

Demande toujours à un adulte de t'aider à allumer le four. Porte des gants de protection pour mettre la plaque à pâtisserie dans le four et l'en retirer. Une pince à spaghettis te permettra de manipuler plus facilement les objets brûlants. Laisse bien refroidir tes modèles.

La malle au trésor

Ce petit coffre peut contenir plein de précieux trésors. Pour le fabriquer, utilise de la pâte à modeler qui durcit à l'air. Le crâne et les os qui le décorent sont l'emblème traditionnel des bateaux de pirates.

Conseil pratique

Utilise des plaques assez épaisses pour faire les côtés de la malle. Si elles sont trop minces, elles risquent de ne pas tenir debout.

FOURNITURES ET MATÉRIEL NÉCESSAIRES

Outil de modelage

Grand verre épais

Pâte à modeler durcissant à l'air

Pinceau

Colle vinylique

Peintures acryliques

Planche à découper

Règle

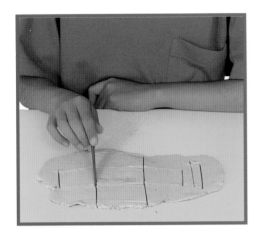

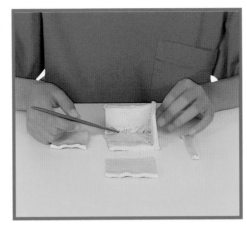

1 Étale la pâte à modeler. Coupe deux côtés de 4 cm × 4 cm, puis deux autres côtés et une plaque pour le fond de 6 cm × 4 cm. Découpe aussi une bande de 8 cm de long pour la courroie du couvercle.

2 Fais des petites entailles autour de la base à l'aide de l'outil de modelage. Dresse le premier côté, puis soude la jointure. Dresse les autres côtés de la même manière et soude les jointures.

3 Quand tous les côtés sont dressés, adoucis les angles avec l'outil. À l'aide du bout pointu, fais des petits trous qui représentent les clous.

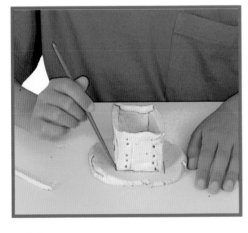

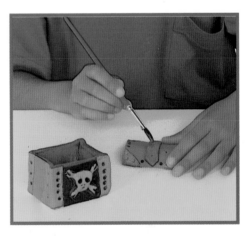

4 Étale un autre morceau de pâte, pose la malle dessus. Découpe-le tout autour de la base, de façon à ce que le rectangle qui formera le couvercle soit de la même taille que la malle.

5 Décore le couvercle et place la courroie dessus. Pose le couvercle sur la malle. Décore la malle avec un crâne et des os croisés modelés dans la pâte. Laisse sécher pendant 24 heures.

6 Une fois la malle sèche et durcie, peins l'intérieur et l'extérieur avec de la peinture acrylique. Laisse sécher la peinture avant d'appliquer une couche de vernis fait de 8 mesures de colle et de 1 mesure d'eau.

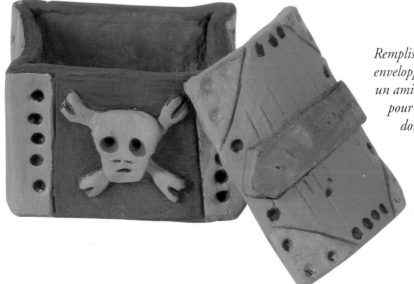

Remplis ta malle au trésor de chocolats enveloppés de papier doré et offre-la à un ami pour Noël! Si tu préfères l'utiliser pour abriter des petits objets fragiles, double-la de coton hydrophile.

Le chat qui sourit

Ce matou a l'air si content de son sort qu'on l'entendrait presque ronronner! Il est simple à réaliser parce que ses pattes sont repliées sous son corps. Ne lui fais pas une queue trop mince, sinon elle se cassera. Accentue son air impertinent avec les couleurs les plus vives.

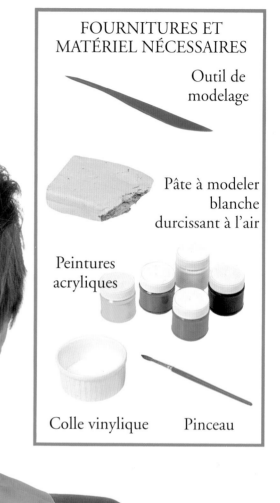

FOURNITURES ET MATÉRIEL NÉCESSAIRES

Outil de modelage

Pâte à modeler blanche durcissant à l'air

Peintures acryliques

Colle vinylique   Pinceau

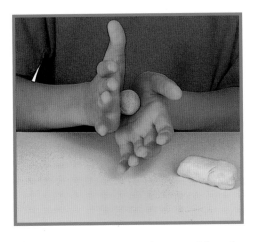

1 Roule une boule de pâte blanche entre tes paumes pour façonner la tête du chat, puis un boudin épais de 6 cm de long pour le corps.

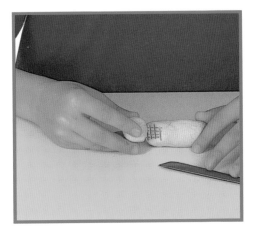

2 Avec l'outil de modelage, fais des entailles à la base de la tête pour qu'elle adhère plus fermement au corps. Soude et lisse la jointure avec le doigt.

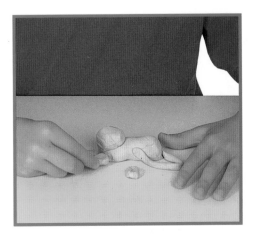

3 Coupe et façonne deux morceaux de pâte pour les pattes de devant et fixe-les en place. Fais la queue et enroule-la autour du corps.

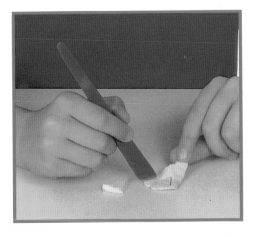

4 Aplatis un morceau de pâte sous ta paume, puis découpe les deux oreilles pointues avec le côté plat de l'outil.

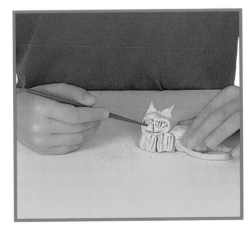

5 Entraîne-toi un peu sur un restant de pâte, puis grave les traits et les pattes du chat avec le même outil. Laisse sécher pendant environ 12 heures.

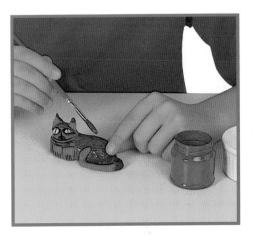

6 Peins le chat avec les couleurs les plus vives. Laisse sécher la peinture avant d'appliquer le vernis, composé de 8 mesures de colle et de 1 mesure d'eau.

Un chat presse-papiers

Le chat qui sourit, ronronnant et paresseux, ferait un parfait presse-papiers empêchant tes feuilles de s'envoler et de se perdre. Il suffit de le faire plus grand, et donc plus lourd. Laisse-le sécher 24 heures avant de le peindre.

Des bagues en cœur et en étoile

Ces bagues amusantes sont très faciles à faire.
Dessine sur du bristol les gabarits du cœur et
de l'étoile et découpe-les.

FOURNITURES ET
MATÉRIEL NÉCESSAIRES

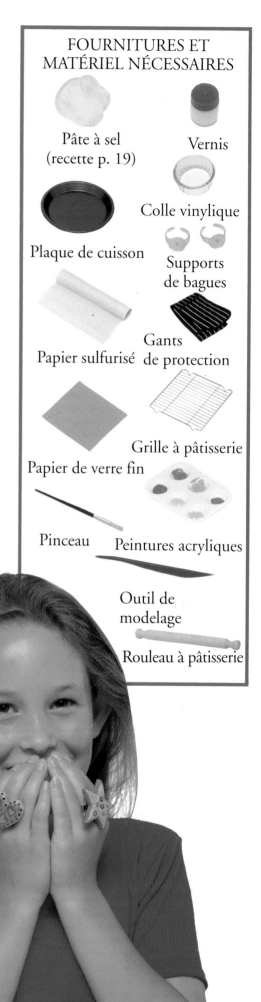

Pâte à sel
(recette p. 19)

Vernis

Plaque de cuisson

Colle vinylique

Supports
de bagues

Papier sulfurisé

Gants
de protection

Grille à pâtisserie

Papier de verre fin

Pinceau

Peintures acryliques

Outil de
modelage

Rouleau à pâtisserie

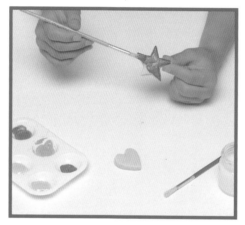

1 Roule un morceau de pâte d'environ
1 cm d'épaisseur. Décalque un cœur
et une étoile pour faire les gabarits et pose-
les sur la pâte. Découpe les formes au couteau. Mets-les sur une feuille de papier
sulfurisé, sur la plaque de cuisson, et fais-
les cuire 4 heures dans le four à 120 °C.

2 Quand les formes ont durci,
retire la plaque du
four (avec des gants de
protection) et pose-les
sur la grille à pâtisserie.
Après refroidissement,
ponce les bords avec
du papier de verre
puis peins-les.
Après séchage,
applique une
couche de vernis.

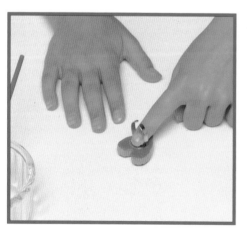

3 Colle un support de bague sur l'envers de chaque pièce et laisse bien
sécher la colle avant d'essayer tes bagues.

*Ces bagues
sont si
faciles à
faire que
tu peux en
fabriquer une
pour chaque
doigt !*

Le bracelet aux cœurs palpitants

Porte cet amusant bracelet à l'occasion d'une fête. Tu peux en réaliser d'autres avec des étoiles ou des fleurs.

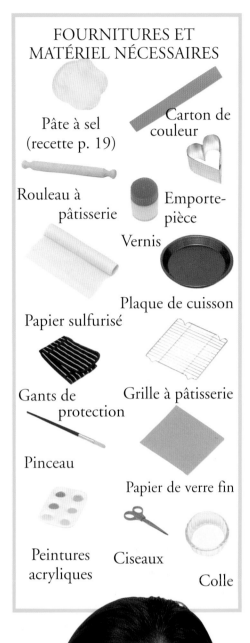

FOURNITURES ET MATÉRIEL NÉCESSAIRES

Pâte à sel (recette p. 19)

Carton de couleur

Rouleau à pâtisserie

Emporte-pièce

Vernis

Papier sulfurisé

Plaque de cuisson

Gants de protection

Grille à pâtisserie

Pinceau

Papier de verre fin

Peintures acryliques

Ciseaux

Colle

1 Étale un morceau de pâte d'environ 1 cm d'épaisseur. Découpe cinq cœurs par bracelet à l'emporte-pièce. Mets ces cœurs sur une feuille de papier sulfurisé et pose-les sur la plaque de cuisson. Fais-les cuire pendant environ 4 heures dans le four réglé à 120 °C.

2 Demande à un adulte de retirer la plaque du four et de poser les cœurs sur la grille à pâtisserie. Après refroidissement, ponce les bords au papier de verre, puis peins-les de couleurs vives. Une fois secs, vernis-les.

3 Coupe une bande de carton de 20 × 5 cm. Avant de coller les deux extrémités, vérifie qu'elle passe à ton poignet.

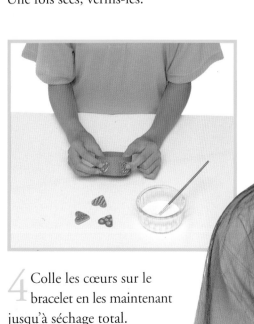

4 Colle les cœurs sur le bracelet en les maintenant jusqu'à séchage total.

Le Tyrannosaurus Rex

Le tyrannosaure est revenu… et il habite dans ta chambre! Plutôt sympathique, il se tient debout sur ses pattes de derrière et il est assez lourd pour servir de presse-papiers. Maintenant que tu maîtrises la technique, confectionne un ptérodactyle… ou bien invente le dinosaure de ton choix!

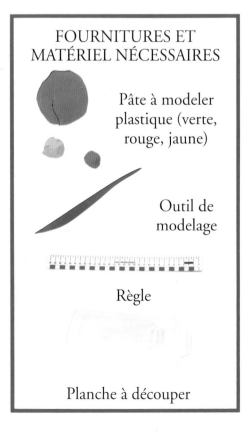

FOURNITURES ET MATÉRIEL NÉCESSAIRES

Pâte à modeler plastique (verte, rouge, jaune)

Outil de modelage

Règle

Planche à découper

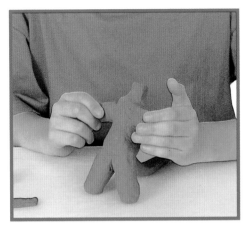

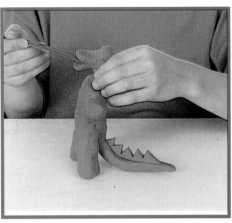

1 Façonne cinq boudins de pâte de 5 cm de long et 2 cm de diamètre pour le corps et les pattes. Forme la tête avec un cube de 2 cm × 2 cm et deux petits morceaux. Pour la queue, roule un boudin de 8 cm de long et une bande plate de 5 cm.

2 Assemble les bras, les jambes et la queue au corps du dinosaure et utilise l'un des petits morceaux pour façonner le cou. Fais la tête avec les deux morceaux restants. Roule le plus gros en boudin et fixe le deuxième sur le dessus.

3 Découpe la bande de 5 cm en dents de scie et fixe-la sur la queue. Ouvre la bouche en manœuvrant l'outil de modelage de bas en haut. Fais attention de ne pas décapiter le dinosaure !

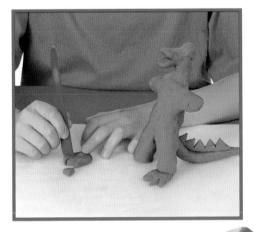

4 Étale quatre morceaux de pâte assez épais pour faire les pieds et les mains. Découpe les orteils et les doigts avant de les fixer.

5 Fais les yeux en pâte rouge et les dents, les griffes et la crête en pâte jaune. Place-les.

Pour que ton tyrannosaure ressemble vraiment à un reptile, grave des écailles sur sa peau avec l'extrémité pointue de ton outil de modelage ou à l'aide d'un cure-dents.

Peinture sur tee-shirts

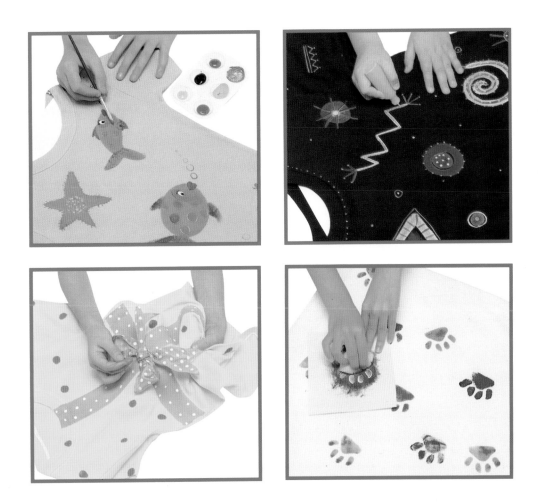

Petra Boase

Introduction

Décorer tes tee-shirts avec de la peinture, des rubans ou du tissu, voilà un passe-temps amusant. En un clin d'œil, tu créeras un vêtement fou ou branché pour toi, tes amis, tes parents.

Ce livre t'explique comment préparer les tee-shirts et te servir des peintures afin d'obtenir d'extraordinaires résultats. Il y en a pour tous les goûts : les sportifs, les fans de disco et ceux qui adorent les animaux. Tu trouveras aussi plein d'idées de déguisements. Certains modèles sont simples à réaliser, alors que d'autres utilisent des techniques particulières.

Lorsque tu auras réalisé ton premier tee-shirt, on ne pourra plus t'arrêter. Bientôt, tu exerceras tes talents sur des sweat-shirts, des caleçons, voire sur des tissus pour décorer ta chambre. Alors, à tes pinceaux et amuse-toi bien !

Le roi du disco brille avec ses peintures fluorescentes qui scintilleront dans la lumière.

Attention !

✋ Garde les peintures et les outils coupants hors de portée des jeunes enfants.

✋ Lis le mode d'emploi des peintures pour tissu avant de commencer à peindre. Suis les instructions du fabricant pour préparer le tee-shirt, mélanger, appliquer et sécher les peintures. Certains fabricants recommandent de laver ou de repasser le tee-shirt peint avant de le porter.

✋ Demande à un adulte de repasser le tee-shirt et de surveiller l'utilisation des outils coupants.

✋ Si tu mets de la peinture sur un vêtement, fais-le tremper aussitôt dans beaucoup d'eau froide. Rince le vêtement jusqu'à élimination de la peinture. Lave-le ensuite à l'eau chaude savonneuse.

Ces étoiles scintillantes feront également beaucoup d'effet sur un tee-shirt bleu marine ou noir. Le motif est très facile à réaliser.

Ce tee-shirt est aussi pratique qu'amusant avec ses trois poches en feutrine cousues avec du coton à broder.

Fournitures et matériel

Voici la liste de ce dont tu auras besoin pour réaliser tes tee-shirts.

▲ **Tee-shirts.** Il te faut des tee-shirts en coton, à manches courtes ou à manches longues.

▲ **Craie de tailleur.** Craie blanche spéciale permettant de tracer les contours d'un dessin sur les tee-shirts foncés.

▲ **Mini-paillettes.** Paillettes très fines que l'on fixe sur le tissu avec de la colle à tissu.

▲ **Colle à tissu.** Permet de coller un tissu sur un autre. Applique-la avec un pinceau spécial.

▲ **Stylo-feutre pour tissu.** Ressemble à un feutre normal mais est utilisé pour les tissus.

▲ **Peinture nacrée pour tissu.** Elle devient irisée en séchant. Présentée en flacon plastique avec un pinceau.

▲ **Peinture relief pour tissu.** Cette peinture gonfle quand tu la passes au sèche-cheveux. Présentée en flacon plastique avec un pinceau. N'oublie pas de lire le mode d'emploi avant de l'utiliser.

▲ **Peinture pour tissu.** Elle ne disparaît pas au lavage une fois appliquée sur le tissu. Commence par lire le mode d'emploi.

▲ **Peinture fluorescente pour tissu.** Elle brille dans la lumière ultraviolette. Existe en nombreuses couleurs vives.

▲ **Peinture pailletée pour tissu.** Cette peinture à effet de paillettes existe en tube ou en flacon plastique avec un pinceau. Lis le mode d'emploi avant de l'utiliser.

▲ **Sèche-cheveux.** Tu l'utiliseras à très basse température pour sécher la peinture relief. Demande d'abord la permission.

▲ **Éponge.** Tu trouveras des éponges bon marché chez le droguiste. Tu peux donner du relief en tamponnant légèrement le tissu avec une éponge trempée dans la peinture.

▲ **Pastilles de Velcro adhésif.** Les deux parties du Velcro s'accrochent.

▲ **Carton.** Pour empêcher la peinture fraîche de traverser, glisse de grandes feuilles de carton dans le corps et les manches du tee-shirt. Tu peux acheter des feuilles cartonnées ou, mieux, utiliser du carton recyclé.

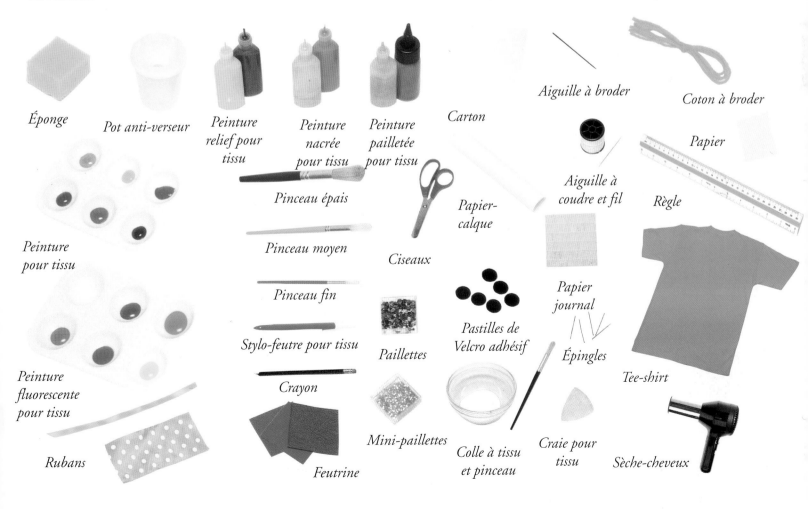

Éponge

Pot anti-verseur

Peinture relief pour tissu

Peinture nacrée pour tissu

Peinture pailletée pour tissu

Carton

Aiguille à broder

Coton à broder

Papier

Pinceau épais

Aiguille à coudre et fil

Règle

Pinceau moyen

Papier-calque

Ciseaux

Peinture pour tissu

Pinceau fin

Papier journal

Stylo-feutre pour tissu

Paillettes

Pastilles de Velcro adhésif

Épingles

Crayon

Peinture fluorescente pour tissu

Mini-paillettes

Colle à tissu et pinceau

Craie pour tissu

Tee-shirt

Sèche-cheveux

Rubans

Feutrine

Pour commencer

Avant de commencer à peindre, tu dois préparer le tee-shirt et parfaire ton motif. La qualité de la réalisation dépendra du temps passé sur ces deux étapes.

Si tu utilises un tee-shirt neuf, il vaut mieux le laver avant pour éliminer tout surplus de teinture. Une fois sec, demande à un adulte de le repasser.

Pour éviter que la peinture ne traverse le tissu, glisse du carton à l'intérieur du tee-shirt. Positionne-le pour qu'il recouvre toute la surface.

Fais ton dessin au brouillon avant de le tracer sur le tee-shirt : le feutre et la peinture pour tissu ne partent pas au lavage.

Une fois satisfait de ton dessin, reproduis-le sur le tee-shirt. Utilise un feutre sur les tee-shirts clairs et la craie blanche sur les tee-shirts foncés.

Quand tu es prêt à peindre et que tu as rassemblé matériel et fournitures, tu dois recouvrir la surface de travail avec une grande feuille de plastique ou de papier journal. Protège également les meubles proches; tu risques en effet de les éclabousser avec la couleur pour tissu, surtout si tu veux obtenir un effet spécial et que la brosse est particulièrement chargée de peinture. Cette peinture résistant au lavage, protège bien tes vêtements avec un tablier ou un vieux sweat-shirt.

Conseils pratiques

Les peintures pour tissu existent en de nombreux coloris et textures mais tu peux faire une sélection.

Les couleurs pour tissu, tout comme les peintures acryliques, peuvent être mélangées pour obtenir d'autres teintes. Si par exemple, tu mélanges de la peinture relief bleue avec de la jaune, tu obtiendras de la peinture verte. Tu peux également mélanger les peintures pailletées.

Pour obtenir une peinture plus claire, ajoute de la peinture blanche ou simplement un peu d'eau. Pour la foncer, ajoute de la peinture noire.

Mélange tes couleurs : jaune + bleu = vert jaune + rouge = orange rouge + bleu = violet

Si tu as besoin d'une grande quantité de couleur, mélange ta peinture dans un godet avec de l'eau pour la rendre plus liquide.

Avant de peindre le tee-shirt, teste les techniques et les couleurs sur un morceau de tissu. Tu dois entre autres apprendre à utiliser le flacon plastique avec le pinceau.

La peinture relief ne gonfle qu'à condition d'être séchée au sèche-cheveux. Avant de faire sécher d'autres types de peinture, lis attentivement le mode d'emploi.

Pochoirs et gabarits

Pour certains tee-shirts, tu devras faire des pochoirs
et des gabarits.

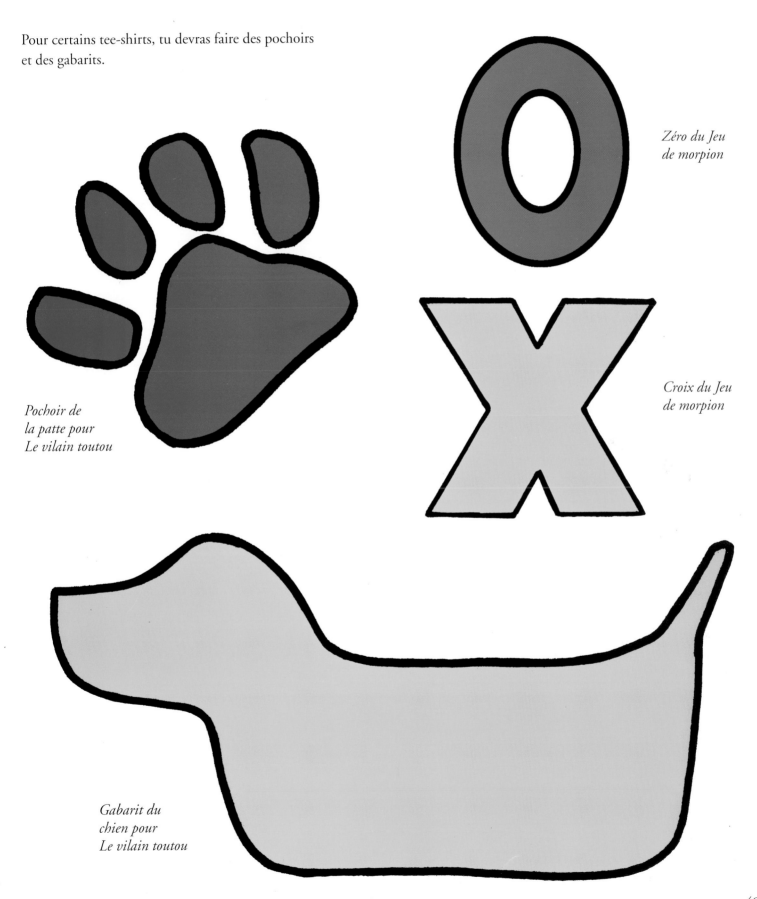

*Zéro du Jeu
de morpion*

*Croix du Jeu
de morpion*

*Pochoir de
la patte pour
Le vilain toutou*

*Gabarit du
chien pour
Le vilain toutou*

49

Le jeu de morpion

Ce tee-shirt est très amusant, car il est rare d'en trouver un qui serve de table de jeu. Porte-le en voyage pour ne plus t'ennuyer.

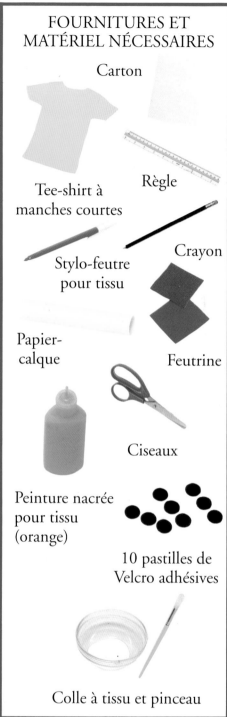

FOURNITURES ET MATÉRIEL NÉCESSAIRES

Carton

Tee-shirt à manches courtes

Règle

Crayon

Stylo-feutre pour tissu

Papier-calque

Feutrine

Ciseaux

Peinture nacrée pour tissu (orange)

10 pastilles de Velcro adhésives

Colle à tissu et pinceau

Trois zéros alignés pour ce garçon qui a gagné la partie de morpion !

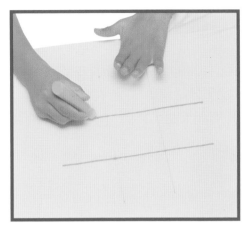

1 Glisse le carton dans le tee-shirt. Sers-toi de la règle et du stylo-feutre pour mesurer et dessiner une grille de morpion. Chaque ligne doit faire 24 cm de long et chaque case 8 cm de côté.

2 Retrace la grille avec de la peinture nacrée orange en tube. Fais glisser le tube régulièrement sur la ligne en prenant garde de ne pas faire de pâtés. Laisse bien sécher la peinture avant de continuer.

3 Décalque et découpe les gabarits des zéros et des croix (page 49). Pose les gabarits sur la feutrine et dessine les contours de cinq zéros rouges et de cinq croix bleues et découpe-les. Fais de même pour cinq petits ovales bleus et colle-les sur les zéros avec de la colle à tissu.

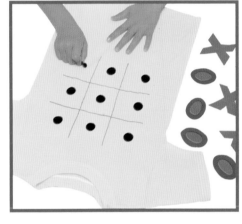

4 Ôte le papier protecteur de l'un des ronds de Velcro. Colle la face autocollante au dos d'un motif en feutrine. Répète l'opération pour tous les motifs.

5 Retire le papier protecteur des pastilles de Velcro restantes et colle-les au centre de chaque case de la grille.

N'oublie de retirer les zéros et les croix avant de laver le tee-shirt.

6 Tu peux maintenant jouer au jeu de morpion. Amuse-toi bien !

La fantaisie marine

En regardant ce tee-shirt, on peut presque sentir l'air salé de la mer, entendre les vagues se briser contre les rochers ou imaginer des bancs de poissons multicolores se laissant porter par les courants de l'océan. Sur ce modèle, il n'y a que deux espèces aquatiques, mais tu peux ajouter des crabes, des coquillages, des coraux et des algues.

Ce motif pourrait aussi bien convenir à un gilet sans manches ou à un sweat-shirt à manches longues. Il ferait également un décor très dépaysant pour une taie d'oreiller.

Conseil pratique

Exerce-toi à dessiner ce motif sur du papier avant de le reporter sur ton tee-shirt. Si tu n'arrives pas à dessiner les poissons ou les étoiles de mer, décalque-les dans un livre ou un magazine. Le monde sous-marin est fascinant et tu peux consulter une encyclopédie pour trouver d'autres idées.

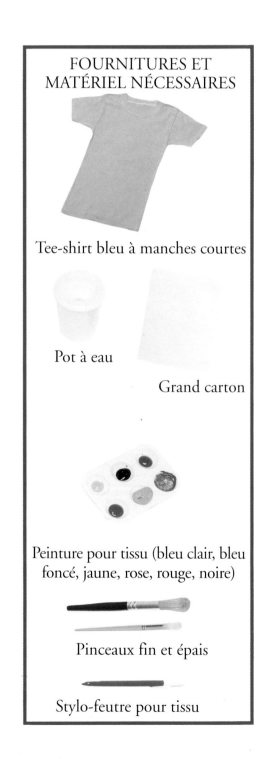

FOURNITURES ET MATÉRIEL NÉCESSAIRES

Tee-shirt bleu à manches courtes

Pot à eau

Grand carton

Peinture pour tissu (bleu clair, bleu foncé, jaune, rose, rouge, noire)

Pinceaux fin et épais

Stylo-feutre pour tissu

1 Glisse le carton dans le tee-shirt. Utilise le stylo-feutre pour tissu pour dessiner les contours des poissons, de l'étoile de mer et une frise de vagues.

2 Peins les vagues en bleu clair et bleu foncé avec le gros pinceau. Ne t'inquiète pas si la peinture ne s'étale pas parfaitement, les effets de matières rendent le dessin plus vivant.

3 Peins les poissons en dégradés de bleus, de roses et de rouges. Le vert peut être obtenu en mélangeant du bleu et du jaune. Utilise le pinceau fin pour peindre la bouche et les yeux. Ajoute des bulles noires sortant de la bouche des poissons. Mélange du rouge et du jaune pour faire de l'orange et colorie l'étoile.

4 Laisse sécher la peinture. Retourne le tee-shirt en maintenant le carton en position. Utilise le stylo-feutre pour tissu pour dessiner un autre poisson dans le dos, puis continue la frise de vagues.

5 Peins les vagues en bleu clair et en bleu foncé avec le gros pinceau. Lave et essuie ton pinceau avant de peindre le poisson en rose avec des pois jaunes. Peins les yeux et fais sortir des bulles de sa bouche.

Fais appel à ton imagination pour ce motif. Tu peux inventer des créatures extraordinaires habitant un monde sous-marin mystérieux.

Le tournesol

Sur ton tee-shirt, tu vas pouvoir exprimer tes talents artistiques et ton goût pour les couleurs. En fait, ta peinture sera tellement belle qu'elle méritera un cadre doré. Il ne manquera plus qu'une chose : la signature de l'artiste.

FOURNITURES ET MATÉRIEL NÉCESSAIRES

Grand carton

Tee-shirt à manches courtes

Peinture pour tissu (noire, jaune, rouge, orange, bleu clair, dorée)

Stylo-feutre pour tissu

Peinture pailletée or

Pot rempli d'eau

Pinceau moyen

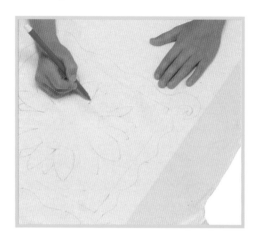

1 Glisse le carton dans le tee-shirt. Sers-toi du stylo-feutre pour dessiner les contours du tournesol et du cadre.

2 Peins le cœur du tournesol avec de la peinture noire. Utilise des tons de jaune, de rouge et d'orange pour peindre les pétales. Laisse bien sécher la peinture.

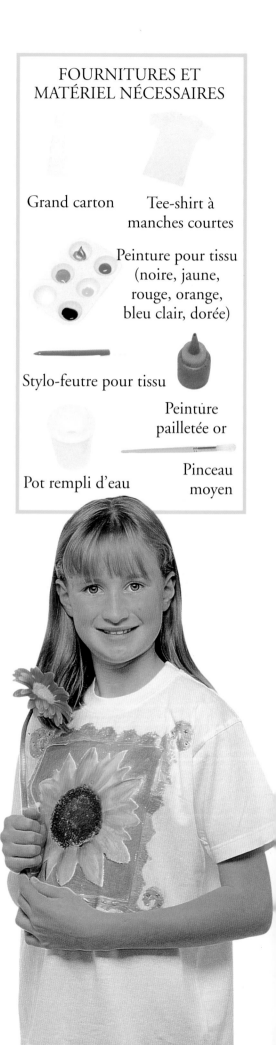

3 Colore le fond du tableau en bleu ciel. Prends garde de ne pas déborder sur les pétales de la fleur ni sur le cadre.

4 Une fois que la peinture est bien sèche, peins le cadre à la peinture pour tissu dorée. Pour la dernière touche, ajoute quelques motifs à la peinture pailletée tout autour du cadre.

L'illusion d'optique

Si tu fixes ce motif, il risque de te faire tourner la tête. L'artiste néerlandais Escher est devenu célèbre grâce à ce genre d'illusion d'optique. Dans ses œuvres, rien n'est normal : l'eau coule vers le haut et un banc de poissons peut se transformer en une nuée d'oiseaux !

FOURNITURES ET
MATÉRIEL NÉCESSAIRES

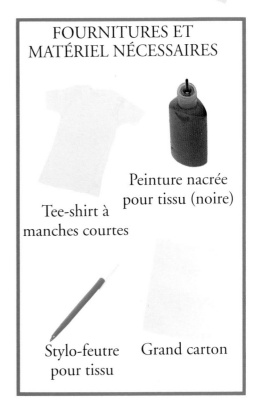

Peinture nacrée
pour tissu (noire)

Tee-shirt à
manches courtes

Stylo-feutre
pour tissu

Grand carton

1 Glisse le carton dans le tee-shirt. Sers-toi du stylo-feutre pour dessiner un grand rectangle au milieu du devant. Puis continue à dessiner des rectangles de plus en plus petits à l'intérieur du grand.

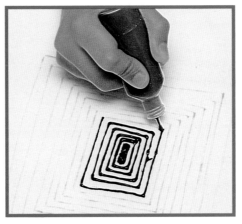

2 Retrace chaque rectangle à la peinture nacrée noire avec la pointe du tube souple. Si ton tube est neuf, coupe la pointe très près du bout pour faire des lignes bien fines.

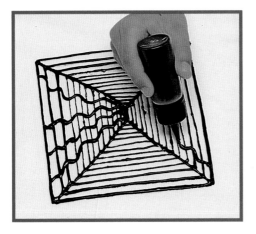

3 Peins des lignes noires allant de chaque angle vers le milieu. Peins ensuite des lignes sinueuses dans les triangles latéraux, comme indiqué.

Pour réussir ton illusion d'optique, divise à la peinture noire chaque section du triangle inférieur en petits rectangles. Les rectangles deviendront de plus en plus petits en allant vers le centre. Pour terminer l'illusion, peins le quadrillage du bas à la manière d'un damier noir et blanc.

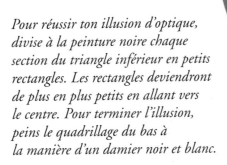

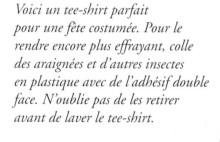

Que d'insectes !

Surtout ne bouge plus… tu es couvert d'insectes ! Ce tee-shirt n'est pas fait pour les froussards mais pour ceux qui aiment mettre leur entourage plutôt mal à l'aise. Tu peux inventer tes propres insectes ou, mieux encore, les dessiner d'après nature !

Voici un tee-shirt parfait pour une fête costumée. Pour le rendre encore plus effrayant, colle des araignées et d'autres insectes en plastique avec de l'adhésif double face. N'oublie pas de les retirer avant de laver le tee-shirt.

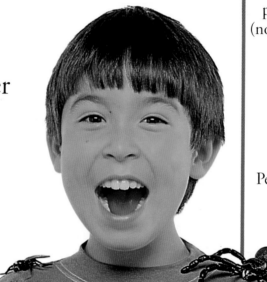

FOURNITURES ET MATÉRIEL NÉCESSAIRES

Tee-shirt à manches longues

Pot rempli d'eau

Peinture pour tissu (noire, rouge)

Peinture pour tissu nacrée noire

Grand carton

Pinceaux fin et moyen

Stylo-feutre pour tissu

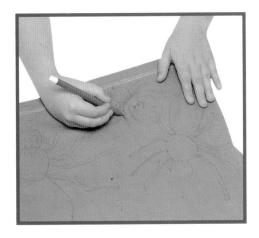

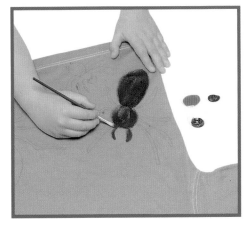

1 Glisse le carton dans le tee-shirt ainsi que dans les manches. Utilise le stylo-feutre pour dessiner trois grandes araignées sur le devant du tee-shirt et quelques autres sur chaque manche.

2 Utilise le pinceau moyen et la peinture noire pour tissu pour peindre la tête, le corps et les mandibules des araignées. Pour les pattes, utilise le pinceau fin. Rince-le bien avant de peindre les yeux en rouge.

3 Trempe un doigt dans la peinture pour tissu noire, puis applique-le sur le tee-shirt pour former le corps et la tête d'un petit insecte. Recommence jusqu'à ce que le devant du tee-shirt soit recouvert de petites bestioles. Laisse bien sécher.

4 Pour peindre les pattes des petites bêtes, utilise de la peinture pour tissu ou de la peinture nacrée noire en tube. Laisse bien sécher. Si tu le désires, tu peux peindre d'autres insectes sur le dos du tee-shirt.

Conseil pratique

Pour multiplier les araignées, fabrique un tampon avec une moitié de pomme de terre. Dessine une forme d'araignée sur la tranche de la pomme de terre à l'aide d'un crayon à papier mal taillé. Demande ensuite à une grande personne de découper tout autour à l'aide d'un couteau. Trempe le tampon dans la peinture pour tissu et applique-le plusieurs fois sur le tee-shirt.

Les spirales

Ce motif est facile à réaliser et tu peux utiliser une multitude de couleurs. Laisse bien sécher la peinture avant de décorer les spirales avec de la peinture pailletée.

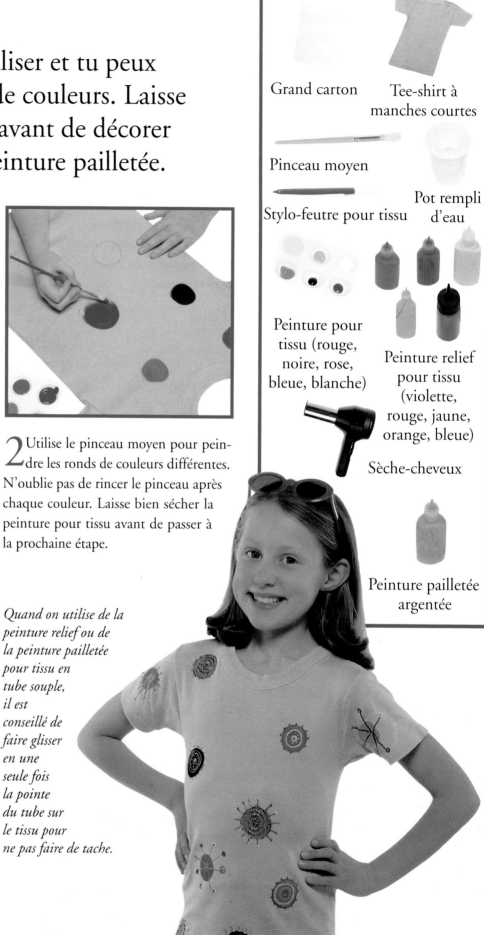

FOURNITURES ET MATÉRIEL NÉCESSAIRES

Grand carton

Tee-shirt à manches courtes

Pinceau moyen

Pot rempli d'eau

Stylo-feutre pour tissu

Peinture pour tissu (rouge, noire, rose, bleue, blanche)

Peinture relief pour tissu (violette, rouge, jaune, orange, bleue)

Sèche-cheveux

Peinture pailletée argentée

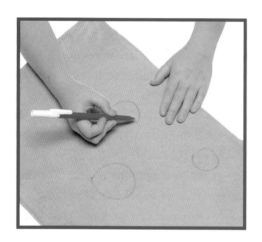

1 Glisse le carton dans le tee-shirt ainsi que dans les manches. Utilise le stylo-feutre pour dessiner de gros ronds sur le devant du tee-shirt ainsi que sur les manches.

2 Utilise le pinceau moyen pour peindre les ronds de couleurs différentes. N'oublie pas de rincer le pinceau après chaque couleur. Laisse bien sécher la peinture pour tissu avant de passer à la prochaine étape.

3 Décore les cercles de spirales, lignes et pois avec de la peinture relief violette, rouge, jaune, orange et bleue. Fais gonfler la peinture en la passant au sèche-cheveux. Pour terminer, décore quelques cercles avec de la peinture pailletée argentée.

Quand on utilise de la peinture relief ou de la peinture pailletée pour tissu en tube souple, il est conseillé de faire glisser en une seule fois la pointe du tube sur le tissu pour ne pas faire de tache.

Une étoile est née

Ce tee-shirt étoilé est idéal pour une fête.
Les paillettes vont scintiller dans la lumière.
Utilise des paillettes spéciales tissu que l'on
trouve dans les magasins d'artisanat-loisirs.

FOURNITURES ET MATÉRIEL NÉCESSAIRES

Peinture pour tissu (bleue, jaune, blanche, rouge, rose, verte)

Tee-shirt à manches courtes

Stylo-feutre pour tissu

Peinture pour tissu pailletée or

Pinceau fin

Paillettes

Mini-paillettes

Grand carton

Pot rempli d'eau

Peinture pour tissu nacrée jaune

Colle à tissu et pinceau

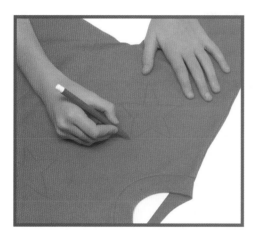

1 Glisse le carton dans le tee-shirt. Sers-toi du stylo-feutre pour tracer les contours des étoiles sur le devant du tee-shirt.

2 Avec un pinceau fin et de la peinture pour tissu, peins les étoiles en bleu, vert, rouge, jaune et rose. Une fois sèches, retrace les contours des étoiles à la peinture nacrée jaune et à la peinture pailletée or. Décore les étoiles avec des points jaune et or.

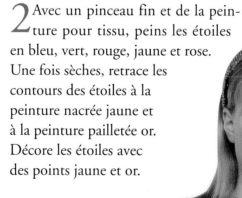

3 Pour faire briller ton tee-shirt, enduis les étoiles de colle à tissu et saupoudre-les de paillettes et de mini-paillettes quand la colle est encore humide. Puis, secoue le tee-shirt pour faire tomber l'excès de paillettes.

Si tu veux décorer le dos du tee-shirt, attends que le devant soit sec. Vérifie que le carton est toujours en place et reprends les étapes 1, 2 et 3.

Le roi du disco

Porte ce tee-shirt et tu seras l'attraction de la soirée. Les peintures fluorescentes brilleront dans le noir sous la lumière ultraviolette. Pour être encore plus disco, écris le nom de tes groupes préférés au dos du tee-shirt.

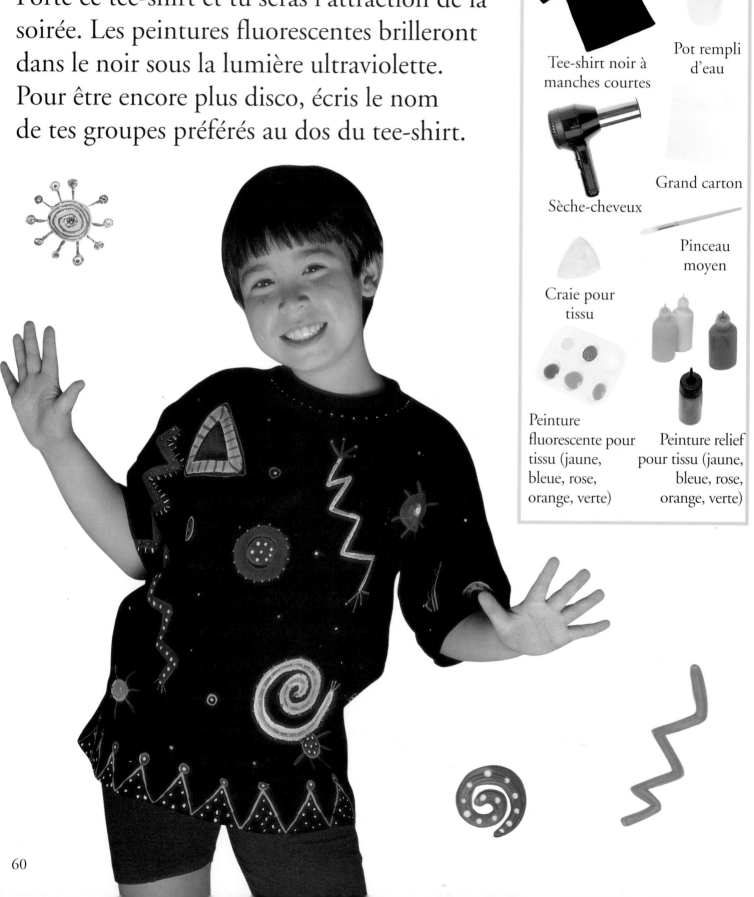

FOURNITURES ET MATÉRIEL NÉCESSAIRES

Tee-shirt noir à manches courtes

Pot rempli d'eau

Sèche-cheveux

Grand carton

Pinceau moyen

Craie pour tissu

Peinture fluorescente pour tissu (jaune, bleue, rose, orange, verte)

Peinture relief pour tissu (jaune, bleue, rose, orange, verte)

60

1 Glisse le carton dans le tee-shirt ainsi que dans les manches. Dessine les contours des triangles, des spirales et des motifs en zigzag à la craie pour tissu blanche sur le devant, le dos et les manches du tee-shirt.

2 Utilise de la peinture fluorescente jaune, bleue, rose, orange et verte pour l'intérieur des dessins. Crée aussi de nouvelles couleurs en faisant des mélanges. Laisse bien sécher la peinture.

3 Couvre le tee-shirt de points et de tortillons à la peinture relief orange, jaune, violette et rouge. Pour la faire gonfler, utilise le sèche-cheveux avec la chaleur douce.

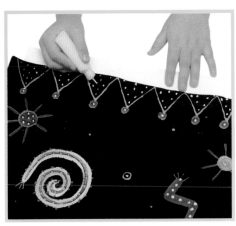

4 Trace un motif en Z avec de la peinture relief orange. Ajoute des cercles et des pois avec de la peinture relief de différentes couleurs. Fais gonfler la peinture en la séchant au sèche-cheveux réglé sur doux. Fais bien sécher le tee-shirt avant de le porter.

Couleurs vives

Tu peux remplacer la peinture fluorescente pour tissu par de la peinture pour tissu ordinaire de couleurs vives. Même si ces peintures ne brillent pas dans le noir, ton tee-shirt aura un succès fou. Tu peux aussi utiliser de la peinture pailletée et des mini-paillettes.

Si tu veux continuer le motif en zigzag sur le dos du tee-shirt, attends que le devant soit sec et vérifie que le carton est toujours en place.

Plein les poches!

Avec ce tee-shirt, tu ne perdras ou n'oublieras plus tes petits trésors. Tu peux même utiliser une poche pour y mettre ton argent!

Conseil pratique

Place du carton dans le tee-shirt avant de coudre. Cela t'évitera de coudre ensemble le devant et le dos du tee-shirt.

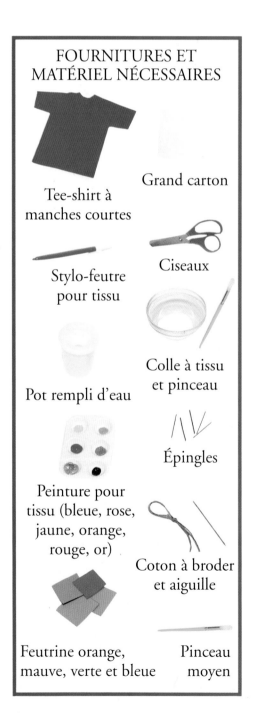

FOURNITURES ET MATÉRIEL NÉCESSAIRES

Tee-shirt à manches courtes

Grand carton

Stylo-feutre pour tissu

Ciseaux

Colle à tissu et pinceau

Pot rempli d'eau

Épingles

Peinture pour tissu (bleue, rose, jaune, orange, rouge, or)

Coton à broder et aiguille

Feutrine orange, mauve, verte et bleue

Pinceau moyen

1 Découpe trois poches et trois bandes décoratives dans la feutrine orange, mauve, verte et bleue. Les bandes doivent avoir la même longueur que le haut des poches. Colle chaque bande sur une poche à l'aide de la colle pour tissu.

2 Fixe les poches au bas du tee-shirt avec des épingles. Enfile une aiguillée de coton à broder et fais un nœud solide. Avec un coton d'une couleur différente de celle des poches, couds-les à grands points.

3 Dessine au stylo-feutre pour tissu les contours de bonbons, de pièces et de dés au-dessus de chaque poche. Mais tu peux aussi dessiner d'autres objets, comme des crayons, une gomme, des bijoux, des lunettes de soleil, des jouets, du rouge à lèvres ou des barrettes.

4 Glisse le carton dans le tee-shirt. Peins les papillotes des bonbons et les dés avec des couleurs vives. Utilise de la peinture dorée pour les pièces de monnaie. Laisse bien sécher.

Tu peux aussi décorer et souligner les poches avec de la peinture nacrée pour tissu en flacon plastique avec un pinceau.

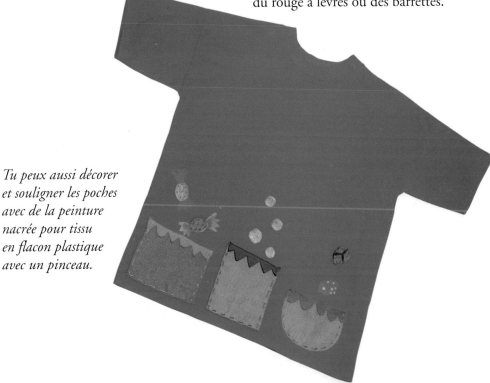

Conseils de couture

1 Pour faire un nœud, fais une boucle au bout du fil. Passe l'autre bout à travers la boucle et tire.

2 Pour coudre, pique l'aiguille sous le tissu et tire vers le haut jusqu'à ce que le nœud arrête le fil. Pique l'aiguille sur l'endroit du tissu et tire-la sur l'envers. Continue ainsi pour piquer la poche sur le tee-shirt.

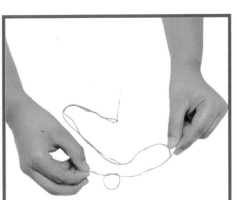

1

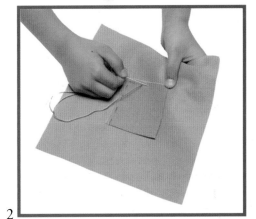

2

Le basketteur

Si tu sais tirer au panier et dribbler, ce tee-shirt est fait pour toi! Et pourquoi ne pas créer une équipe avec tous tes copains? Chacun aura son propre numéro et vous pourrez choisir ensemble la couleur de votre équipe!

FOURNITURES ET MATÉRIEL NÉCESSAIRES

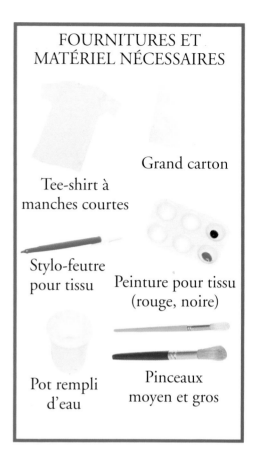

Grand carton

Tee-shirt à manches courtes

Stylo-feutre pour tissu

Peinture pour tissu (rouge, noire)

Pot rempli d'eau

Pinceaux moyen et gros

1 Glisse le carton dans le tee-shirt ainsi que dans les manches. Avec le stylo-feutre pour tissu, dessine le contour du numéro 7 sur le devant du tee-shirt. Dessine deux bandes autour des manches.

2 Peins le 7 et le bas des manches avec de la peinture rouge et le gros pinceau. Laisse sécher. Avec le pinceau moyen, entoure en noir les contours du chiffre et la bande rouge des manches.

Pour que ton tee-shirt ressemble à celui d'un professionnel, trace les contours du chiffre à l'aide d'une règle.

3 Peins l'encolure du tee-shirt à la peinture noire. Quand elle est sèche, souligne les contours en rouge avec le pinceau moyen. Laisse sécher. Retourne le tee-shirt et répète les étapes 1, 2 et 3.

Squelettor

Ce tee-shirt terrifiant est parfait pour une soirée costumée. Tu peux le compléter avec un bonnet, un caleçon long et des gants noirs. Pour la tête de squelette, utilise du maquillage blanc ou du talc et du fard à paupières noir.

FOURNITURES ET MATÉRIEL NÉCESSAIRES

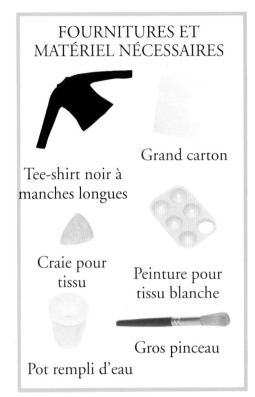

Tee-shirt noir à manches longues

Grand carton

Craie pour tissu

Peinture pour tissu blanche

Gros pinceau

Pot rempli d'eau

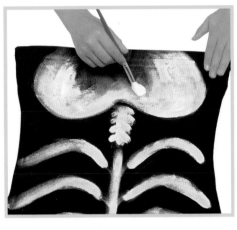

1 Glisse le carton dans le corps et les manches du tee-shirt. Trace à la craie sur le devant du tee-shirt les contours des clavicules, des côtes, de la colonne vertébrale et du bassin. Dessine aussi les os des bras sur les manches.

2 Utilise le gros pinceau pour peindre les os à la peinture pour tissu blanche sur le devant du tee-shirt. Pour faire ressortir le blanc, passe deux couches de peinture. Laisse sécher entre chaque couche.

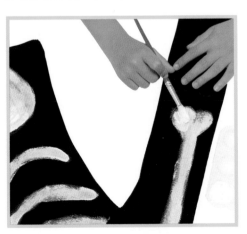

Pour répéter le motif sur l'envers, laisse sécher le tee-shirt, retourne-le et recommence les étapes 1, 2 et 3.

3 Pour terminer, peins les os sur chaque manche. Laisse sécher la peinture entre chaque couche. Maintenant, il ne te reste plus qu'à attendre la pleine lune!

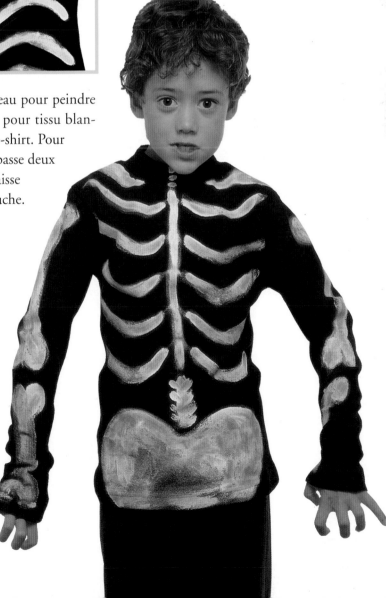

La spirale infernale

Ce tee-shirt est simple à réaliser pour un débutant. Dessine le contour d'une spirale aussi grande que possible pour qu'elle soit facile à peindre et à décorer. Tu peux l'enjoliver de petites spirales, et en peindre une aussi grande dans le dos.

Conseil pratique

Pour empêcher le tee-shirt de bouger quand tu dessines ou peins ton motif, fixe-le avec du ruban adhésif sur la surface de travail. Pose le tee-shirt bien à plat, et efface les plis avec la main avant de le fixer.

FOURNITURES ET MATÉRIEL NÉCESSAIRES

Grand carton

Tee-shirt à manches courtes

Stylo-feutre pour tissu

Pinceaux fin, moyen et gros

Peinture pailletée pour tissu (verte, violette)

Pot rempli d'eau

Peinture pour tissu (noire, orange, jaune, bleu clair, verte)

Peinture nacrée pour tissu (jaune, orange, violette)

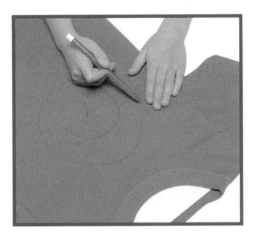

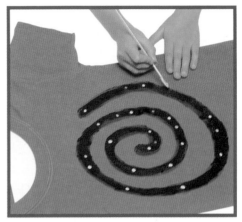

1 Glisse le carton dans le tee-shirt ainsi que dans les manches. Utilise le feutre pour dessiner une large spirale sur le devant du tee-shirt.

2 Peins la spirale à la peinture pour tissu noire avec un gros pinceau. Laisse bien sécher avant de passer à la prochaine étape.

3 Décore la spirale avec des petits points orange, jaunes, bleu ciel et verts à l'aide du pinceau moyen. Laisse bien sécher.

Le choix des couleurs

Tu peux utiliser les couleurs de ton choix ou peindre le motif en jaune, orange, rose et rouge par exemple. Avant de commencer, vérifie que les couleurs choisies sont assorties à celles du tee-shirt.

4 Dessine des cercles autour de quelques points avec de la peinture nacrée jaune. Entoure la spirale de peinture nacrée orange et violette.

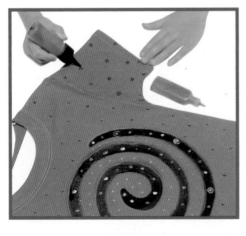

5 Peins des pois jaunes avec la peinture nacrée à l'intérieur de la spirale. Avec la peinture pailletée, parsème le devant du tee-shirt de pois verts et les manches de pois violets.

Star Trek

Ce tee-shirt est le seul à voyager dans l'espace! Les lumières fluorescentes de ce vaisseau spatial sont visibles des plus lointaines galaxies mais, avant de t'envoler, assure-toi bien de pouvoir retrouver ton chemin jusqu'à la planète Terre.

FOURNITURES ET MATÉRIEL NÉCESSAIRES

Grand carton

Tee-shirt noir à manches courtes

Pot rempli d'eau

Peinture pour tissu nacrée rouge

Craie pour tissu

Peinture pour tissu (bleu foncé, bleu clair, noire, rouge, jaune fluo, argent)

Pinceaux moyen et gros

Ce voyageur de l'espace rêve d'aller explorer avec sa fusée les secrets du système solaire et des autres planètes.

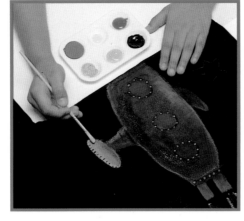

1 Glisse le carton dans le corps et les manches du tee-shirt. Trace à la craie les contours des planètes, des étoiles et de la fusée. Ne dessine que l'arrière de la fusée sur le devant du tee-shirt.

2 Avec les gros et moyen pinceaux, peins la fusée avec de la peinture pour tissu bleu foncé, bleu clair, noire et rouge. Peins les rivets et les flammes en jaune fluo et le haut de la fusée en argent.

3 Peins les étoiles avec de la peinture pour tissu argentée et les planètes en couleurs ordinaires et fluo. Une fois sèches, fais un anneau autour de chaque planète à la peinture nacrée rouge. Peins les détails de la fusée à la peinture nacrée.

Peins le système solaire

Vue de l'espace, la Terre se présente comme une boule verte et bleue, mais sais-tu à quoi ressemblent les autres planètes ? Essaye de trouver dans un livre d'astronomie ou dans une encyclopédie des reproductions de Mercure, Vénus, Mars, Jupiter, Saturne, Uranus, Neptune et Pluton.

4 Pour représenter les galaxies d'étoiles, trempe le gros pinceau dans la peinture jaune fluo et secoue-le au-dessus du tee-shirt. Laisse sécher.

5 Retourne le tee-shirt. Dessine le nez de la fusée à la craie, en l'alignant avec l'arrière. Peins la fusée et les étoiles comme précédemment.

Le vilain toutou

Oh non! Quelqu'un a laissé le chien
marcher sur mon tee-shirt avec ses pattes
pleines de boue! Un aussi vilain toutou
ne mérite pas un si bel os! Pour limiter les
dégâts, on va lui mettre de jolies bottines.

*Ce garçon n'en
croit pas ses yeux!
Pour savoir ce que
ce vilain toutou
a fait, regarde
la page suivante.*

FOURNITURES ET MATÉRIEL NÉCESSAIRES

Tee-shirt à
manches courtes

2 feuilles
de carton

Ciseaux

Pot rempli d'eau

Peinture à tissu (marron,
noire, blanche, turquoise,
rouge, bleu pâle, jaune)

Pinceaux
moyen et fin

Stylo-feutre
pour tissu

Crayon

Colle à tissu
et pinceau

Papier-calque

Éponge

Ruban jaune
étroit

70

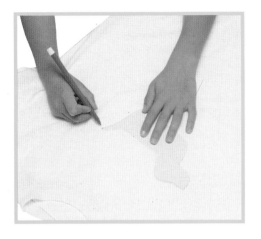

1 Glisse un des cartons dans le corps et les manches du tee-shirt. Décalque le gabarit du chien (voir page 49). Pose-le sur le devant du tee-shirt et trace les contours au stylo-feutre.

2 Peins le chien en marron avec le gros pinceau. Si tu n'as pas de peinture marron, mélange du bleu, du rouge et du jaune. Laisse sécher avant de passer à l'étape suivante.

3 Peins les taches du corps en noir ainsi que les oreilles, la queue, les chaussures et l'os. Peins les détails de la tête et décore les chaussettes, les chaussures et le collier.

4 Quand la peinture est sèche, fais un joli nœud avec le petit ruban. Fixe le nœud au collier du chien avec de la colle pour tissu et laisse-la sécher.

5 Décalque le pochoir des empreintes de pattes (page 49) sur le second carton et découpe-le comme indiqué. Retourne le tee-shirt en vérifiant que le bristol est toujours en place à l'intérieur. Place le pochoir sur le tee-shirt.

6 Tamponne le pochoir avec l'éponge imbibée de peinture marron. Retire le pochoir. Recommence jusqu'à couvrir le dos du tee-shirt de traces de pattes.

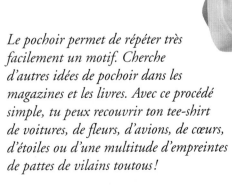

Le pochoir permet de répéter très facilement un motif. Cherche d'autres idées de pochoir dans les magazines et les livres. Avec ce procédé simple, tu peux recouvrir ton tee-shirt de voitures, de fleurs, d'avions, de cœurs, d'étoiles ou d'une multitude d'empreintes de pattes de vilains toutous !

Le paquet-cadeau

Pourquoi ne pas offrir ce tee-shirt à une copine pour son anniversaire? Elle pourra le porter le jour même! Il est important que le ruban peint soit de la même couleur que le ruban en tissu. Pour cela, tu risques d'avoir à mélanger plusieurs couleurs avant de trouver la bonne nuance.

Pour un paquet-cadeau de Noël, prends de la peinture verte, rouge et dorée et remplace le ruban à pois par un ruban doré brillant. Transforme les pois du tee-shirt en branchettes de houx.

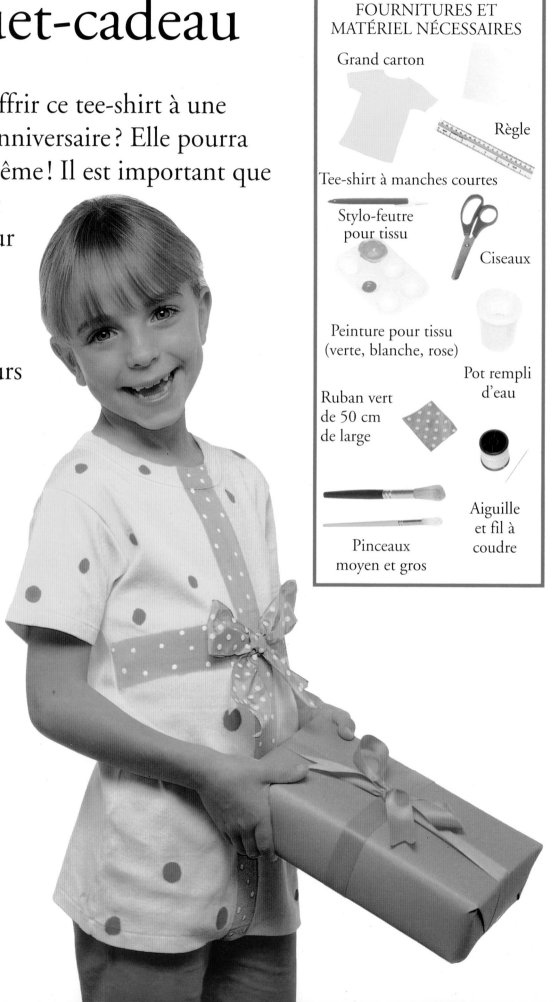

FOURNITURES ET
MATÉRIEL NÉCESSAIRES

Grand carton

Règle

Tee-shirt à manches courtes

Stylo-feutre
pour tissu

Ciseaux

Peinture pour tissu
(verte, blanche, rose)

Pot rempli
d'eau

Ruban vert
de 50 cm
de large

Aiguille
et fil à
coudre

Pinceaux
moyen et gros

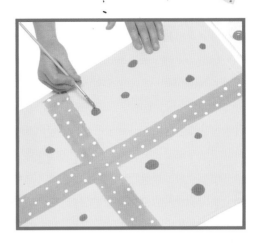

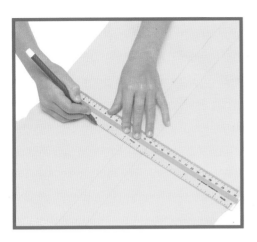

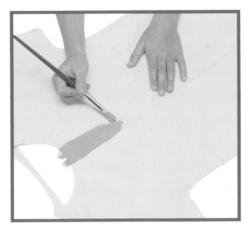

1 Glisse le carton dans le tee-shirt ainsi que dans les manches. Avec la règle et le stylo-feutre pour tissu, trace deux lignes parallèles de haut en bas et deux lignes parallèles perpendiculaires, de gauche à droite.

2 Peins entre les lignes avec la peinture pour tissu verte et le gros pinceau. Ces bandes sont le ruban autour du paquet. Essaye de peindre bien droit. Laisse sécher.

3 Sers-toi du pinceau moyen pour couvrir le ruban de petits pois blancs. Rince le pinceau. Recouvre la surface du tee-shirt de gros pois roses. Laisse sécher.

4 Pour faire un joli nœud, coupe les extrémités du ruban en V.

5 Noue le ruban en rosette. Enfile l'aiguille, fais un nœud au bout du fil. Couds le nœud à l'intersection des deux rubans.

Conseil pratique

En ajoutant un peu d'eau à la peinture, elle devient plus facile à étaler et un peu plus claire. Plus tu ajoutes de l'eau, plus la couleur éclaircit. Ne la dilue pas trop car elle risque de couler partout.

Fils tressés multicolores

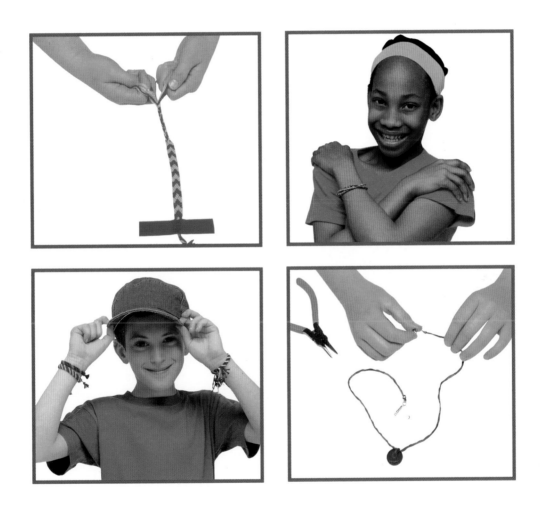

Petra Boase

Introduction

Les bracelets et colliers en fils tressés, symboles d'amitié, feront de jolis cadeaux pour ta famille et tes amis. Tu peux t'en faire pour toi et pour tes meilleurs amis, tresser un collier ou un bracelet de poignet óu de cheville aux couleurs de ton équipe de football préférée. Tout le monde peut les porter : les adolescents, les jeunes enfants, et même les adultes !

Tu peux les faire partout

Tu peux tresser et tisser les bracelets et colliers absolument partout : dans le jardin, en vacances, sur la table de la cuisine ou chez des amis. Tu n'as besoin que de fils, de ruban adhésif, de ciseaux, de perles et d'une surface de travail lisse : l'avantage, c'est que les fils tressés ne coûtent vraiment pas cher !

Il vaut mieux conserver ton matériel dans un sac ou dans une petite boîte pour qu'il reste propre et prêt à l'usage chaque fois que tu as envie de t'amuser à tresser.

Exerce-toi

Certains des motifs de bracelets et colliers avec de nombreux fils sont assez compliqués, et les techniques pour faire les nœuds et tresser sont parfois difficiles à maîtriser. Mais il existe aussi de nombreux motifs très simples, à la portée des débutants.

Si tu n'arrives pas à faire un bracelet ou un collier, n'abandonne pas mais essaye à nouveau après avoir relu les instructions et étudié les photographies avec attention. Ta patience sera récompensée quand tes amis te demanderont où tu as acheté ce super bijou !

Essaye différentes couleurs

Quand tu maîtriseras la technique, libre à toi d'imaginer et de créer ta propre gamme de bijoux et d'accessoires en variant les couleurs et en ajoutant des perles et des décorations à tes bracelets. En recherchant des fils nouveaux, tu donneras des textures originales à tes motifs.

Ce bandeau est fait de la même façon que les bracelets et les colliers.

Les perles sont très faciles à nouer sur les bracelets et les colliers.

Fournitures et matériel

Voici la liste du matériel et des fournitures nécessaires.

⬥ **Perles.** Elles existent en toutes sortes de tailles, couleurs, textures et motifs. Les petites perles et les mini-perles ont de très petits trous et elles sont plus faciles à enfiler avec une aiguille et du fil à coudre très fin. Les perles moyennes et grosses sont parfaites avec du gros fil. Les perles métalliques brillantes donnent de l'éclat à ton bracelet.

⬥ **Coton à tricoter.** Ce type de fil épais sera utilisé pour faire des bracelets de poignet ou de cheville assez larges. Il existe en nombreuses couleurs.

⬥ **Ruban adhésif d'électricien.** C'est un ruban adhésif très solide, parfait pour maintenir les fils sur le plan de travail. Tu le trouveras dans les quincailleries et les magasins de bricolage.

⬥ **Barrette.** Accessoire qui a un clip en métal permettant de retenir les cheveux. Le dessus est en matière plastique.

⬥ **Agrafe métallique.** Elle se pose sur le nœud à chaque extrémité de la tresse et peut se fixer à un fermoir.

⬥ **Fermoir.** Permet de fermer les bracelets ou les colliers.

⬥ **Anneaux métalliques.** Ces petits anneaux en métal servent à fixer le fermoir à l'agrafe.

⬥ **Pinces.** Les petites pinces à bijouterie effilées te permettront d'ouvrir et de fermer les anneaux en métal et de fixer les agrafes métalliques. Certaines pinces sont coupantes, ne les utilise qu'avec l'aide d'un adulte.

⬥ **Coton perlé à broder.** Fil épais parfait pour les bracelets et les colliers. Existe en nombreuses couleurs vives.

⬥ **Coton mouliné à broder.** Ce fil de coton est fait de plusieurs brins. Il convient bien pour les bracelets à motifs et à nœuds.

⬥ **Attaches de cordons de lunettes.** Ces boucles en caoutchouc (en vente chez les marchands de perles) servent à fixer les cordons de lunettes.

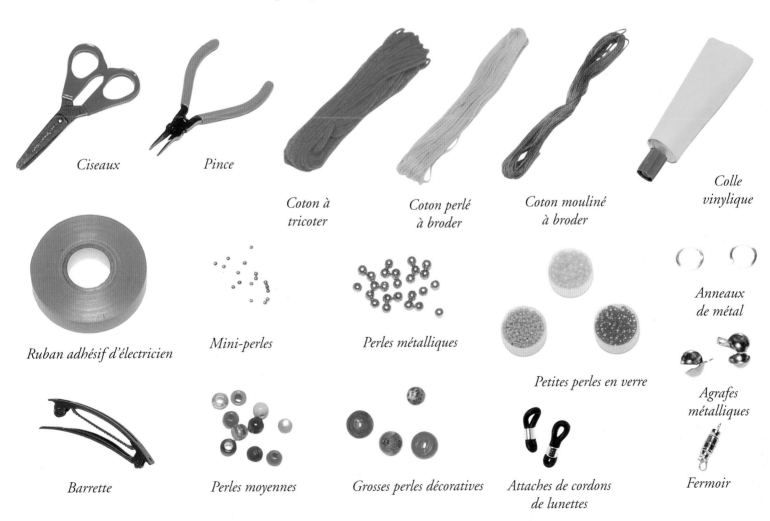

Ciseaux

Pince

Coton à tricoter

Coton perlé à broder

Coton mouliné à broder

Colle vinylique

Ruban adhésif d'électricien

Mini-perles

Perles métalliques

Petites perles en verre

Anneaux de métal

Agrafes métalliques

Barrette

Perles moyennes

Grosses perles décoratives

Attaches de cordons de lunettes

Fermoir

Techniques de base

Pour commencer

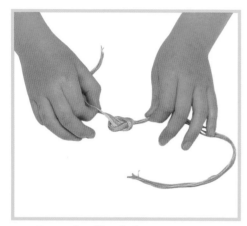

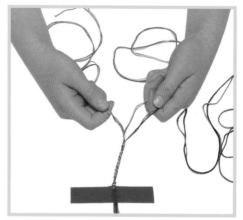

1 Coupe les fils à la longueur requise et vérifie que le type de fil utilisé et le nombre de fils de chaque couleur correspondent aux indications données. Rassemble les fils et aligne les extrémités. Noue-les ensemble près d'une extrémité selon ce qui est indiqué pour ton modèle.

2 Fixe les fils sur la surface de travail juste au-dessus du nœud avec un morceau d'adhésif d'électricien. Colle bien l'adhésif pour que les fils ne se détachent pas. Une planche à pain, un plateau en plastique ou un morceau de carton sont des surfaces parfaites et faciles à transporter.

3 Pour certaines réalisations, tu devras tresser 5 cm avant de commencer vraiment le travail. La tension des fils doit être régulière pour que la tresse soit droite. Fixe la partie tressée sur la surface de travail avec du ruban adhésif en appuyant fermement.

Pour terminer

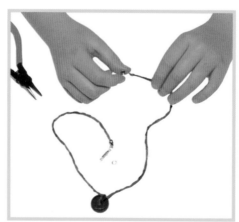

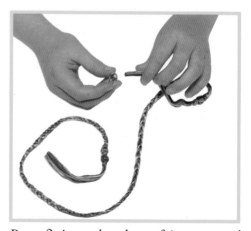

Pour terminer un bracelet, divise les fils en trois parties égales et tresse-les ensemble pour obtenir une natte de la même longueur que celle du début du bracelet. Fais un nœud à l'extrémité avant de la passer dans une perle. Maintiens les perles en place avec un autre nœud. Égalise les fils avec les ciseaux.

Pour terminer un collier, fais un nœud serré à la fin de la tresse. Avec la pince, pose une agrafe métallique à chaque extrémité de la tresse. Ouvre les anneaux en métal avec la pince et fixe-les sur chaque agrafe. Sépare les deux parties du fermoir et fixe-les de chaque côté. Referme les anneaux.

Pour finir un bandeau, fais un nœud serré près de l'extrémité de la tresse et enfile quelques perles. Tu peux les enfiler sur chaque fil ou passer tous les fils dans une grosse perle. Pour maintenir les perles en place, fais un autre nœud, assez gros pour empêcher les perles de tomber.

Pour attacher

Pour attacher un bracelet, demande à un(e) ami(e) de faire un double nœud. Si personne ne peut t'aider, mets le bracelet autour de la cheville.

Pour attacher un collier, mets le collier autour de ton cou avec le fermoir devant. Regarde dans un miroir et aligne les parties du fermoir.

Pour attacher un bandeau, si tu n'y arrives pas tout(e) seule, demande à un(e) ami(e) de nouer les extrémités à l'arrière avec un double nœud ou une rosette.

Conseils pratiques

Avant de commencer à travailler, tu dois lire attentivement les instructions et regarder les photographies. Vérifie ensuite que tu as les fils appropriés, de la bonne longueur, et assure-toi du nombre de fils et des couleurs.

Si tu choisis un motif compliqué, il sera plus facile d'utiliser les couleurs indiquées dans le livre. Quand tu maîtriseras cette technique particulière, tu pourras réaliser des bracelets de poignet ou de cheville et des colliers avec ta propre sélection de couleurs.

Entretien du matériel

✋ Enroule les fils restants sur des rectangles de bristol épais. Pour les empêcher de se dérouler, glisse l'extrémité dans une petite fente pratiquée sur un côté du bristol.

✋ Pour que les ciseaux restent bien aiguisés, ne t'en sers pas pour couper le papier.

✋ Range perles et accessoires dans des boîtes fermées, hors de portée des jeunes enfants.

Donne libre cours à ton imagination

Les couleurs et les perles utilisées ici te sont données comme exemples. Tu pourras ensuite inventer tes propres créations. Voici quelques suggestions que tu pourras essayer.

✋ Noue ensemble bien serrés des restes de fils et égalise-les. En tressant ces fils multicolores, tu obtiendras un bracelet avec de nombreuses couleurs. Les restes de fils sont également utiles pour essayer de nouvelles techniques.

✋ Les perles à très petit trou, les boutons et les paillettes peuvent être cousus sur un bracelet terminé avec une aiguille ordinaire et du fil à coudre.

✋ Pour tes motifs, prends des fils texturés ou brillants.

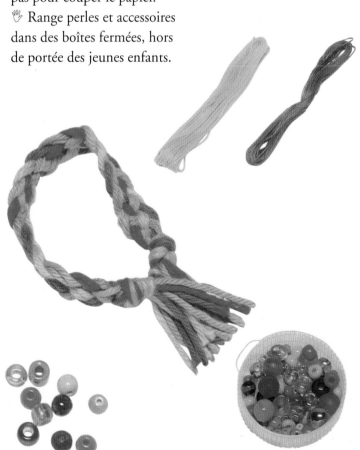

Le bracelet torsadé

Ce bracelet ressemble à une palette de peintre où l'on aurait mélangé des couleurs, mais on a remplacé les peintures par des fils torsadés.

FOURNITURES ET MATÉRIEL NÉCESSAIRES

Coton mouliné à broder

Ciseaux

Ruban adhésif d'électricien

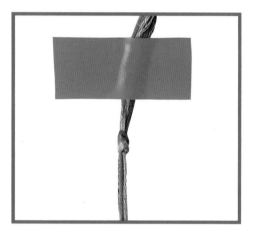

1 Il te faut six longueurs de coton de 70 cm de long. Attache-les par un nœud à 10 cm de l'une des extrémités. Fixe-les au plan de travail avec le ruban adhésif, juste au-dessus du nœud.

2 Tiens bien les fils par l'autre extrémité et tords-les toujours dans le même sens pour que la torsade soit bien serrée. Les fils doivent commencer à raccourcir.

3 Tire sur la torsade et place ton doigt au milieu. Replie-la en deux, enlève ton doigt. la torsade s'enroule autour d'elle-même.

4 Détache le ruban adhésif et fais un nœud au bas de la torsade. Égalise les fils qui restent avec les ciseaux. Pour fixer le bracelet à ton bras, fais passer le nœud dans la boucle à l'autre extrémité.

Conseil pratique

Prends soin de tenir la torsade bien serrée. Si tu la lâches avant d'avoir fait le nœud final, elle risque de se dérouler.

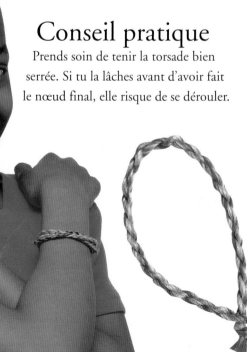

Le bandeau hippie

Déguise-toi en hippie et noue ce joli bandeau autour de ta tête. Plus tu utiliseras de brins, plus le bandeau sera large. Pourquoi ne pas faire un bracelet assorti ?

FOURNITURES ET MATÉRIEL NÉCESSAIRES

Coton mouliné à broder

Grosses perles

Ruban adhésif d'électricien

Ciseaux

1 Coupe douze longueurs de 1,50 m de coton à broder (pour un bracelet, utilise douze longueurs de 40 cm). Noue-les ensemble à 15 cm de leur extrémité et fixe-les sur le plan de travail avec un morceau de ruban adhésif.

2 Divise les fils en trois groupes de quatre brins chacun et tresse-les jusqu'à ce que le bandeau soit assez long pour faire le tour de ta tête.

3 Fais un nœud très serré au bout de la natte.

4 Enfile des perles aux deux extrémités et fais un nœud à chaque fois. Enfile une dernière perle et finis par un nœud. Égalise les fils avec les ciseaux.

Pour enfiler facilement les perles sur ton bandeau, enroule un peu de ruban adhésif autour de l'extrémité des fils. Cela les empêchera de s'effilocher.

Le bracelet africain

Ce bracelet s'inspire des couleurs que l'on rencontre au cours d'un safari en Afrique. Aussi, réalise-le avec des fils de couleurs marron, orange et jaune. Si tu choisis d'autres thèmes, comme l'arc-en-ciel, un coucher de soleil ou une saison par exemple, crée d'autres harmonies.

FOURNITURES ET MATÉRIEL NÉCESSAIRES

Coton mouliné à broder

Ruban adhésif d'électricien

Ciseaux

Perles décoratives

1 Coupe cinq longueurs de fil de 1 m, trois d'une couleur et deux d'une autre. Attache-les par un nœud à 15 cm de l'extrémité. Fixe-les sur le plan de travail avec le ruban adhésif, juste au-dessus du nœud. Dispose les fils comme indiqué.

2 Prends le fil de gauche (ici, le marron). Fais-le passer par-dessus le fil orange à droite, puis par-dessous, dans la boucle et par-dessus lui-même. Tire doucement sur le fil marron pour faire un nœud et recommence.

3 Continue en répétant l'étape 2 et en faisant deux nœuds sur chacun des fils restants à droite, jusqu'au bout du premier rang.

4 Prends le nouveau fil de gauche (ici, l'orange) et fais un deuxième rang de nœuds comme dans les étapes 2 et 3.

5 Continue de la même manière jusqu'à ce que le bracelet soit assez long pour ton poignet ou ta cheville. Noue tous les fils pour arrêter le tissage.

Conseil pratique

Si tu débutes, il vaut mieux que tu prennes les couleurs utilisées pour ce modèle. Il te sera ainsi plus facile de suivre les étapes en prenant les couleurs indiquées. Quand tu maîtriseras la technique, tu pourras créer tes propres associations de couleurs.

6 Tresse les fils à chaque extrémité sur 4 cm et fais un nœud au bout. Glisse une perle sur chaque fil et fais un nœud pour la fixer.

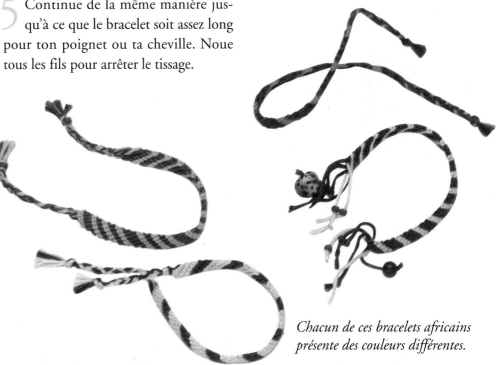

Chacun de ces bracelets africains présente des couleurs différentes.

Le bracelet tissé

Voici un bracelet très populaire, dont la technique de tissage est facile. Pour obtenir un bracelet plus large, il suffit d'en réaliser deux ou trois et de les coudre ensemble avec du coton à broder et une grosse aiguille à coudre.

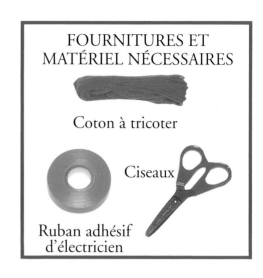

FOURNITURES ET
MATÉRIEL NÉCESSAIRES

Coton à tricoter

Ciseaux

Ruban adhésif
d'électricien

Ce bracelet tissé est vraiment joli avec des couleurs vives, rouge et jaune, violet et bleu, ou encore noir et blanc. Quand tu le tisseras, maintiens bien les fils pour qu'ils ne se défassent pas, sinon tu devras tout recommencer !

1 Coupe deux longueurs de 80 cm de coton de chaque couleur. Plie-les en deux et noue-les à 5 cm du pli. Fixe-les au plan de travail, juste au-dessus du nœud, avec le ruban adhésif. Arrange les fils par deux d'une même couleur.

2 Commence par les deux fils de droite (bleus sur la photo) et fais-les passer par-dessous deux bleus et deux violets, puis par-dessus les mêmes fils violets et laisse-les au milieu.

3 Prends les deux fils violets de droite que tu n'as pas encore utilisés et passe-les par-dessous les violets et les bleus suivants, puis par-dessus les bleus. Laisse les deux fils violets au milieu.

4 Tire les fils bien serrés vers le haut. Reprends les fils bleus de droite et répète les étapes 2 et 3 jusqu'à ce que le bracelet soit assez long pour ton poignet ou ta cheville.

5 Attache les fils tissés par un nœud. Coupe ceux du haut à la pliure. Tu peux laisser les extrémités libres ou bien les tresser.

Ceinture tissée

Si tu as de la patience et beaucoup de coton perlé ou de laine à tricoter, tu peux faire une ceinture. Mesure ta taille avec un centimètre et coupe des morceaux de fils de trois fois son diamètre. Si tu veux laisser des franges à chaque extrémité, coupe les fils un peu plus long. Fais ta ceinture en suivant les instructions données pour le bracelet tissé.

Le bracelet coloré

Tu auras besoin de dix brins de coton pour ce bracelet. Si tu ne tiens pas bien les fils, le tissage sera irrégulier.

FOURNITURES ET MATÉRIEL NÉCESSAIRES

Coton à tricoter

Ruban adhésif d'électricien

Ciseaux

1 Coupe cinq fils de 80 cm, de couleurs différentes. Plie-les en deux et noue-les ensemble à 5 cm du pli. Fixe les fils sur la surface de travail au-dessus du nœud avec du ruban adhésif. Sépare les fils comme indiqué.

2 Prends les deux brins de droite (ici, les fils orange) et fais-les passer par-dessus les roses, par-dessous les bleus, par-dessus les jaunes et par-dessous les violets. Tire doucement sur les fils orange et laisse-les à gauche.

3 Prends les brins roses à droite et fais-les passer par-dessus les bleus, par-dessous les jaunes, par-dessus les violets, et par-dessous les fils orange. Tire-les et laisse-les à gauche.

4 Continue à tisser les fils de la même manière en commençant toujours par les deux fils de droite, comme dans les étapes 2 et 3, jusqu'à ce que la tresse soit assez longue pour ton poignet ou ta cheville. Noue l'extrémité et coupe la boucle du début. Égalise les brins aux ciseaux.

Si tu veux porter ce bracelet au poignet ou à la cheville pour une fête, remplace deux des fils par des fils dorés ou argentés.

La mèche tressée

Des couleurs dans les cheveux, c'est très joli !
Avec une copine, faites-vous chacune une
mèche tressée, et glissez des perles au bout.

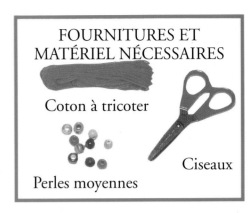

**FOURNITURES ET
MATÉRIEL NÉCESSAIRES**

Coton à tricoter

Ciseaux

Perles moyennes

1 Coupe trois fils de couleurs différentes, de deux fois la longueur des
cheveux et plie-les en deux. Prends une
mèche de 1 cm d'épaisseur et noue les
fils autour, au ras du cuir chevelu.

2 Tiens la mèche écartée de la tête.
Choisis un des rubans et commence
à l'enrouler autour de la mèche et des
autres fils, en le serrant bien.

3 Quand tu as enroulé la longueur
désirée, change de couleur et continue de la même façon. Alterne ainsi les
couleurs jusqu'en bas de la mèche.

4 Pour finir, enfile quelques perles
sur l'extrémité de la mèche et fais
un nœud avec les fils pour les empêcher
de tomber. Noue les fils autour des cheveux pour que la mèche ne se déroule
pas. Quand tu veux défaire ta mèche,
coupe le nœud, enlève les perles et
déroule les fils.

Le bracelet danseur

Voici un modèle de bracelet très demandé
et facile à faire pour un débutant.
Plus tu utiliseras de fils,
plus le bracelet sera large.
Plus tu utiliseras de couleurs,
plus il sera éclatant.

Conseil pratique

Ce bracelet est fait de larges rayures
de trois couleurs mais tu peux
aussi le tresser avec six fils de
couleurs différentes. Les rayures
seront moins larges, mais ton
bracelet sera plus coloré. Pour cela,
choisis six fils de couleurs
contrastées et suis les étapes 1 à 6.

FOURNITURES ET MATÉRIEL NÉCESSAIRES

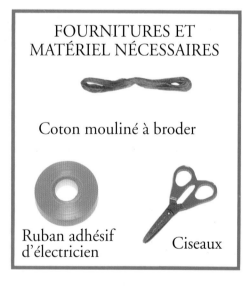

Coton mouliné à broder

Ruban adhésif d'électricien

Ciseaux

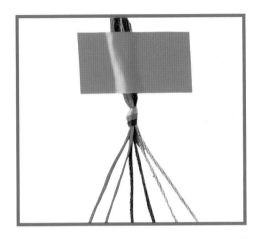

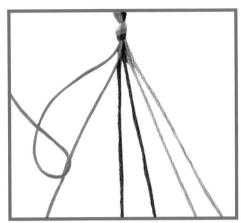

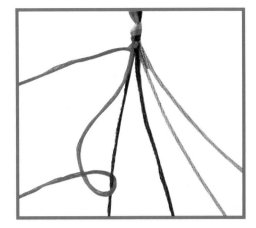

1 Il te faut six fils, deux de chaque couleur de 1 m de long. Fais un nœud à 10 cm de l'extrémité. Fixe les fils sur le plan de travail, au-dessus du nœud, avec le ruban adhésif. Place les fils comme indiqué.

2 Commence avec le fil de gauche (ici, le rouge). Passe-le par-dessus le deuxième fil rouge, puis par-dessous le fil, au travers de la boucle et par-dessus lui-même. Tire doucement sur le fil pour faire un nœud.

3 Répète l'étape 2, puis, avec le même fil, fais deux nœuds sur le fil violet. Continue à faire des nœuds avec le fil rouge sur les fils violet et vert, jusqu'au bout du premier rang.

4 Recommence avec le fil de gauche, le deuxième fil rouge, puis répète les étapes 2 et 3 pour le deuxième rang. Le fil de gauche est à présent violet. Fais le troisième rang de la même manière.

5 Répète l'opération en commençant toujours par le fil de gauche, pour obtenir des rayures des trois couleurs différentes. Continue jusqu'à ce que le bracelet soit assez long pour ton poignet ou ta cheville.

6 Fais un nœud au bout du bracelet et tresse les fils de chaque côté sur 6 cm. Fais des nœuds. Égalise les fils restants avec les ciseaux.

Le bracelet de droite se termine par des petites franges. Celui de gauche n'est pas coupé et laisse pendre de longs fils colorés.

Des rayures et des perles

Ce bracelet est encore plus beau avec des perles qui lui donnent du relief et des couleurs. Choisis des perles avec un trou assez gros pour y passer le fil de coton.

Conseil pratique

Avant de commencer à tresser le bracelet, il vaut mieux trier les perles que tu vas utiliser. Ce sera plus facile de les avoir à portée de main dans une boîte quand tu tiendras les fils.

FOURNITURES ET MATÉRIEL NÉCESSAIRES

Coton perlé à broder

Ruban adhésif d'électricien

Ciseaux

Perles petites et moyennes

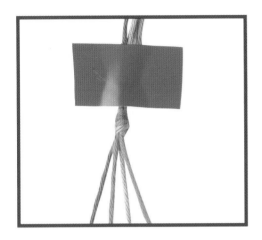

1 Coupe quatre longueurs de 1 m chacune. Fais un nœud à 10 cm de l'extrémité. Fixe-les sur le plan de travail avec le ruban adhésif juste au-dessus du nœud et dispose-les comme indiqué.

2 Prends le fil de gauche (ici, le mauve). Fais-le passer par-dessus le rose, puis par-dessous, dans la boucle et par-dessus lui-même. Tire doucement sur le fil pour former un nœud, puis fais-en un autre.

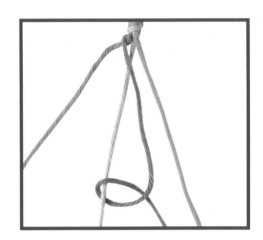

3 Recommence de la même manière avec les fils turquoise et orange. Le premier rang est terminé et le fil mauve se trouve sur la droite.

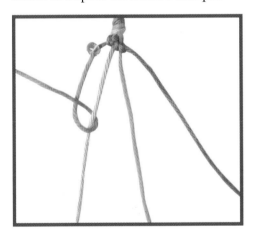

4 Prends le nouveau fil de gauche (ici, le rose) et enfile une perle. Continue à faire des nœuds jusqu'au bout du rang, comme aux étapes 2 et 3.

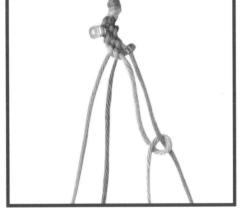

5 Prends le fil qui se trouve maintenant à gauche (fil turquoise). Noue-le par-dessus les deux premiers fils (orange et mauve) et, avant de le nouer sur le rose, enfile une perle sur le fil rose et noue le fil turquoise par-dessus. Ce nœud va maintenir la perle.

Conseil pratique

Pour empêcher l'extrémité des fils de s'effilocher quand tu les passes dans les perles, enroule autour un petit morceau de ruban adhésif, avant de commencer à tresser.

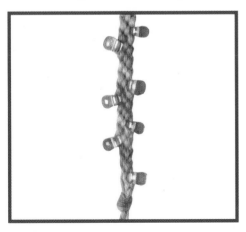

6 Continue à faire des nœuds et à enfiler des perles jusqu'à ce que tu obtiennes la bonne longueur. Noue les fils ensemble.

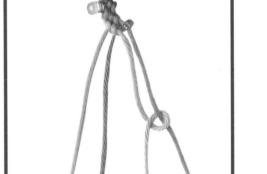

Pour finir, tresse la longueur de fil restante sur environ 6 cm, fais un nœud aux deux extrémités, puis enfile une perle et fais le nœud final.

Le bracelet à jouer

Voici un bracelet qui risque d'impressionner
tes copains! Il est superbe en noir et blanc,
mais tu peux aussi choisir les couleurs de
ton équipe de football préférée.

FOURNITURES ET
MATÉRIEL NÉCESSAIRES

Coton perlé
à broder

Ruban adhésif
d'électricien

Ciseaux

1 Coupe huit fils de 1 m, de deux couleurs. Noue-les ensemble à une extrémité et tresse-les sur 5 cm. Fixe l'extrémité de la tresse sur la surface de travail avec du ruban adhésif. Écarte les fils.

2 Prends le fil de gauche (ici, le violet) et fais deux nœuds sur chacun des trois fils suivants vers la droite. Laisse le fil au milieu. Répète la même opération avec le fil de droite.

3 Prends le fil violet au milieu à droite, et noue-le deux fois sur le fil violet au milieu à gauche. Répète les étapes 2 et 3 trois fois de suite, de chaque côté, en commençant par le fil de l'extrême gauche.

4 Noue le fil violet le plus à droite avec le fil violet suivant. Répète cette opération du côté gauche.

5 Avec le quatrième fil de gauche, fais trois nœuds sur les trois fils suivants. Répète cette opération du côté droit.

6 Fais deux nœuds avec le nouveau fil du milieu à droite sur le nouveau fil du milieu à gauche. Répète l'étape 5. Tu as maintenant formé une croix. Répète les étapes 5 et 6 avec les deux paires de fils violets.

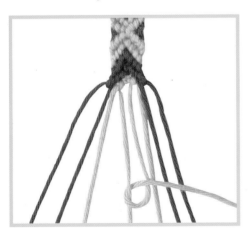

7 Ensuite, fais deux nœuds avec le fil du milieu à droite sur le fil du milieu à gauche. Pour compléter le motif, répète toutes les opérations depuis l'étape 2.

8 Lorsque le bracelet est assez long, finis-le par une natte de 5 cm. Égalise les fils qui restent avec les ciseaux.

Ce motif ressortira mieux si tu prends des fils de couleur contrastées, vert et jaune ou jaune et violet par exemple.

La barrette perlée

Conseil pratique

Pour enfiler des perles sur l'autre extrémité de la tresse, défais le nœud au départ de la tresse. Égalise les fils à la même longueur que ceux de l'autre extrémité, puis suis l'étape 5. Colle la tresse sur le dessus de la barrette, en la centrant bien.

Voilà une barrette qui va se remarquer, quelle que soit ta coiffure !

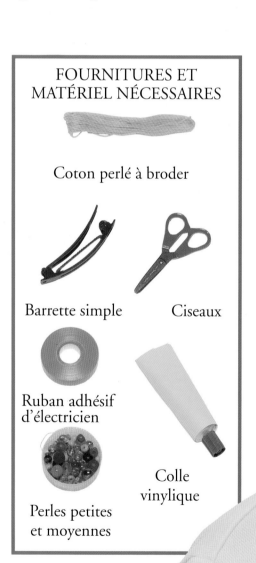

FOURNITURES ET MATÉRIEL NÉCESSAIRES

Coton perlé à broder

Barrette simple

Ciseaux

Ruban adhésif d'électricien

Colle vinylique

Perles petites et moyennes

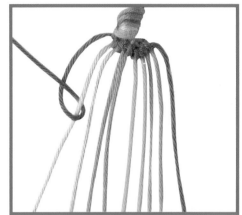

1 Coupe dix longueurs de coton perlé de 80 cm, deux de chaque couleur. Attache-les ensemble à 15 cm d'une extrémité. Avec l'adhésif, fixe les fils par paires sur le plan de travail au-dessus du nœud.

2 Commence par le fil de gauche (ici, le bleu foncé). Fais-le passer par-dessus le deuxième fil bleu, puis par-dessous, dans la boucle et enfin par-dessus lui-même. Tire sur le fil et fais un nœud.

3 Continue de la même manière sur tous les fils jusqu'à ce que le fil du début se retrouve à la fin. Prends le nouveau fil de gauche (ici, le bleu foncé) et répète les étapes 2 et 3.

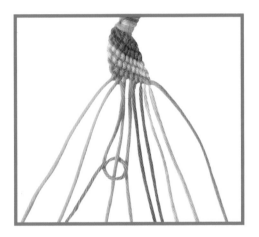

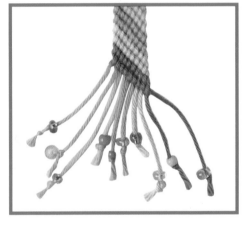

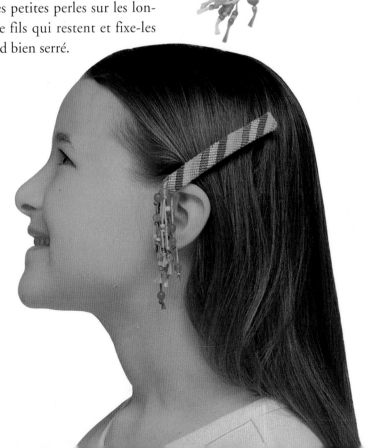

4 Continue à former des rayures avec tous les autres fils, jusqu'à atteindre la longueur de la barrette.

5 Enfile des petites perles sur les longueurs de fils qui restent et fixe-les avec un nœud bien serré.

6 Pose des points de colle au dos de la bande tissée et colle-la sur la barrette. Colle l'extrémité nouée dessous. Laisse sécher, puis coupe les fils qui dépassent.

Le collier de perles

Choisis tes perles préférées pour garnir ce collier, ou bien une seule grosse et jolie perle à placer au centre. Si tu n'as pas de fermoir pour attacher ton collier, noue simplement les deux extrémités autour de ton cou.

Conseil pratique

Avant de commencer à tresser, vérifie que les trous des perles sont assez grands pour laisser passer le fil. Tu trouveras des perles spéciales dans les magasins d'artisanat-loisirs.

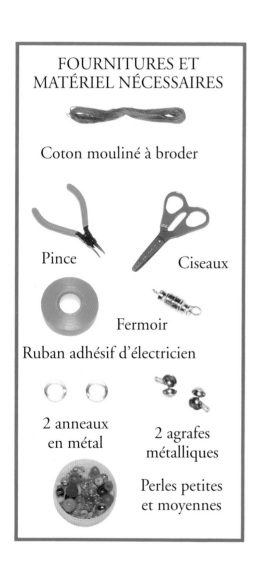

FOURNITURES ET MATÉRIEL NÉCESSAIRES

Coton mouliné à broder

Pince

Ciseaux

Fermoir

Ruban adhésif d'électricien

2 anneaux en métal

2 agrafes métalliques

Perles petites et moyennes

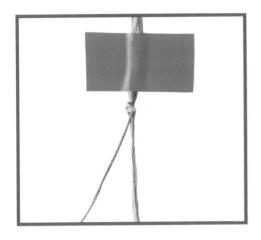

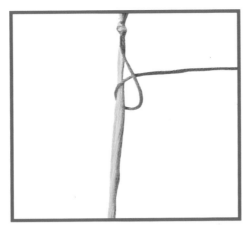

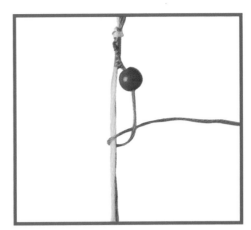

1 Coupe deux longueurs de 1,50 m de chaque couleur. Noue-les ensemble à 10 cm d'une extrémité. Fixe-les sur le plan de travail avec du ruban adhésif. Dispose les fils comme indiqué.

2 Prends le fil de gauche (ici, le bleu). Fais-le passer par-dessus les autres, puis par-dessous et dans la boucle. Tire sur le fil tout en maintenant les autres.

3 Après avoir fait cinq nœuds, glisse une perle sur le fil bleu et continue à faire des nœuds. Maintenant, commence à travailler avec un nouveau fil.

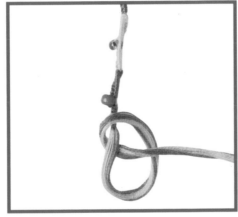

Collier long

Tu peux faire un collier plus long en doublant ou même en triplant la longueur des fils, mais il te faudra beaucoup plus de perles.

4 Fais une nouvelle rangée de nœuds avec le nouveau fil. Au bout de cinq nœuds, enfile une perle.

5 Continue ainsi jusqu'à obtenir la longueur désirée. Noue tous les fils ensemble.

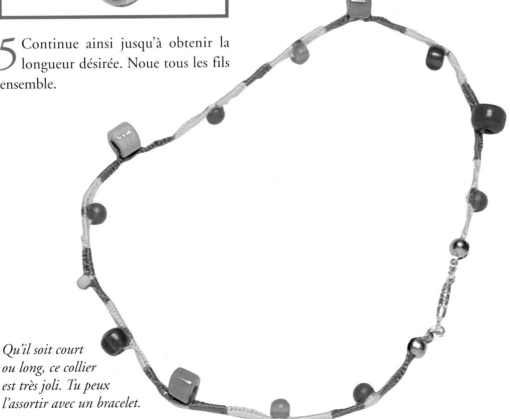

6 Coupe les fils près des nœuds. Fixe une agrafe sur chaque nœud et un anneau en métal sur chaque agrafe. Fixe enfin un fermoir sur les anneaux.

Qu'il soit court ou long, ce collier est très joli. Tu peux l'assortir avec un bracelet.

Le cordon pour lunettes

Conseil pratique

Avec l'aide d'une pince
(et d'une grande personne),
tu fixeras les agrafes
et les anneaux facilement.

Voici un accessoire pratique
et amusant! Quand tu
ne portes pas tes lunettes,
tu peux les garder
suspendues, comme
un bijou.

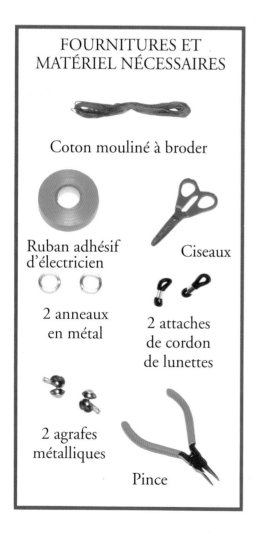

FOURNITURES ET MATÉRIEL NÉCESSAIRES

Coton mouliné à broder

Ruban adhésif
d'électricien

Ciseaux

2 anneaux
en métal

2 attaches
de cordon
de lunettes

2 agrafes
métalliques

Pince

1 Coupe six longueurs de coton de 2 m et fais un nœud à 5 cm d'une extrémité. Fixe-les sur le plan de travail avec le ruban adhésif, au-dessus du nœud.

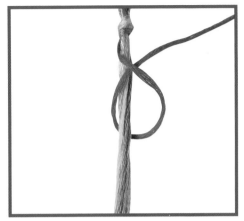

2 Prends le fil séparé (ici, le rouge) et fais-le passer par-dessus les autres, puis dessous et dans la boucle. Resserre vers le nœud en maintenant les autres fils.

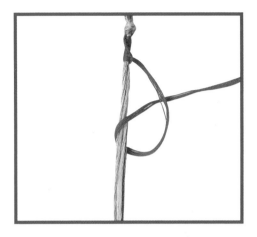

3 Continue à faire des nœuds avec le fil rouge jusqu'à ce que tu décides de changer de couleur.

4 Prends un fil d'une autre couleur et range le rouge avec les autres. Fais un rang de nœuds comme dans l'étape 2. Continue de la même manière en changeant de couleur quand tu le désires.

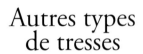

5 Quand la corde nouée mesure environ 70 cm de long, fais un nœud serré à chaque extrémité, puis égalise les fils assez près des nœuds, mais sans couper les nœuds pour autant.

Autres types de tresses

Tu peux choisir bien d'autres styles de tresses. Quel que soit le motif, il te faut au moins 2 m de chaque fil. Si ton cordon est plus large, prends des agrafes métalliques et des anneaux plus grands.

6 Fixe une agrafe sur chaque nœud, puis un anneau à chaque agrafe et une attache de cordon à chaque anneau.

Pour attacher le cordon aux lunettes, glisse une boucle sur chaque branche de tes lunettes en serrant légèrement.

Le bracelet géométrique

Conseil pratique

Ne prends que deux couleurs différentes pour ce bracelet afin de bien faire ressortir les motifs géométriques.

Ce bracelet est vraiment difficile à faire. Si ta première tentative ne te satisfait pas, exerce-toi jusqu'à devenir un expert.

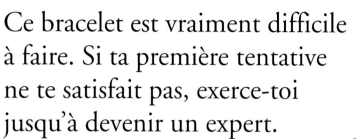

FOURNITURES ET MATÉRIEL NÉCESSAIRES

Coton perlé à broder

Ruban adhésif d'électricien

Ciseaux

1 Coupe six longueurs de 1 m, deux d'une couleur et quatre de l'autre. Noue-les et natte-les sur 5 cm. Fixe-les sur le plan de travail avec l'adhésif, au-dessus du nœud.

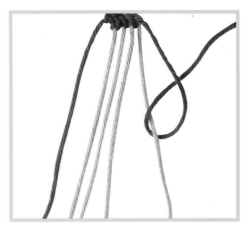

2 Prends le fil de gauche (ici, le bleu) et fais deux nœuds sur chaque fil suivant vers la droite.

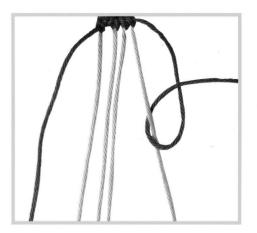

3 Fais deux nœuds avec le fil bleu de gauche sur le fil turquoise suivant. Fais deux nœuds avec le fil bleu de droite sur le fil turquoise à sa gauche.

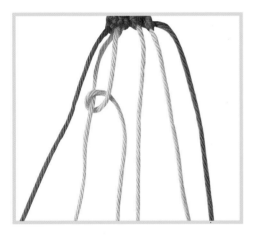

4 Prends le deuxième fil (turquoise) sur la gauche et fais deux nœuds sur le fil turquoise suivant. Puis fais un seul nœud sur les fils turquoise suivants.

5 Répète les étapes 3 et 4 jusqu'à ce que tu aies tissé quatre rangs de turquoise entre deux bordures de bleu. Prends soin de prendre le bon fil à chaque fois.

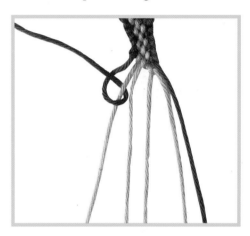

6 Prends le fil bleu sur la gauche et fais deux nœuds sur le fil turquoise suivant, puis remets le fil dans sa position de départ. Fais la même chose avec le fil bleu de droite.

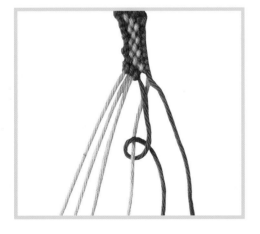

7 Noue le fil bleu de gauche sur tous les fils turquoise vers la droite jusqu'à la fin du rang, pour compléter le rectangle. Noue le fil turquoise sur tous les fils vers la droite, jusqu'à la fin du rang.

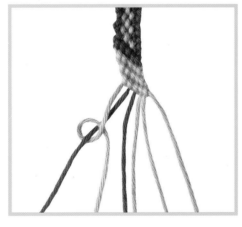

8 Continue à nouer le fil de gauche sur tous les autres fils jusqu'à ce qu'il y ait un fil bleu de chaque côté des fils turquoise. Tu peux à présent retourner à l'étape 2.

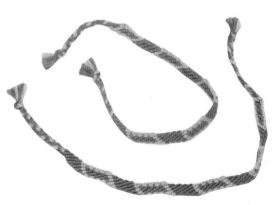

Pour finir ton bracelet, tresse 5 cm puis noue les fils. Égalise-les à la même longueur à chaque extrémité.

Le bracelet fléché

Tu peux faire ce bracelet avec deux, trois ou quatre couleurs différentes. Choisis des couleurs assorties à ta tenue préférée ou, si tu veux l'offrir à un(e) ami(e), prends ses couleurs favorites. Pour un bracelet plus large, augmente le nombre de fils.

FOURNITURES ET
MATÉRIEL NÉCESSAIRES

Coton perlé à broder

Ruban adhésif
d'électricien

Ciseaux

1 Coupe huit fils de 1 m de long, quatre de chaque couleur. Noue les fils à 5 cm du haut et fixe-les sur le plan de travail avec du ruban adhésif. Écarte-les, comme indiqué.

2 Prends le brin de gauche (ici, le fil orange) et fais deux nœuds sur chacun des trois fils suivants, vers la droite. Laisse le fil orange au milieu.

3 Prends le fil orange à l'extrême droite et fais deux nœuds sur chacun des fils suivants, vers la gauche. Laisse le fil orange au milieu.

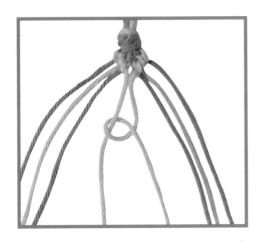

4 Prends le fil orange du milieu à droite et fais deux nœuds sur le fil orange suivant à gauche.

5 Répète les étapes 2, 3 et 4 jusqu'à ce que le bracelet soit assez long pour ton poignet ou ta cheville.

6 Natte les fils qui restent sur 5 cm et fais un nœud. Égalise tous les fils avec les ciseaux.

Finis ton bracelet en enfilant une grosse perle sur chaque extrémité. Choisis des perles avec un trou assez large pour laisser passer les huit fils.

103

Coiffures
de rêve

Jacki Wadeson

Introduction

Amuse-toi à changer de coiffure! Tu seras sans doute étonnée de voir comme il est facile de créer des styles différents, que tes cheveux soient raides, ondulés ou frisés, courts ou longs. Il te faut simplement une brosse et un peigne, ainsi que toutes sortes de rubans colorés, de perles, nœuds, barrettes fantaisie, élastiques et chouchous.

Pour commencer

Rassemble tout d'abord le matériel et les accessoires nécessaires. Trouve ensuite l'emplacement de ton salon de coiffure, l'idéal étant de disposer d'une table, d'une chaise et d'un grand miroir. Demande la permission et l'aide d'un adulte si tu changes les meubles de place et si tu dois installer un miroir.

Demande à une amie de t'aider. Non seulement elle pourra faire tes nattes et tes queues de cheval, mais elle sera la première à admirer tes nouvelles coiffures. Tu pourras également la coiffer à son tour!

Techniques de base

Avant de te lancer dans des coiffures compliquées comme les friselis d'enfer, la cascade de boucles ou les nattes et perles, il vaut mieux apprendre les techniques de base de la queue de cheval classique, de la queue de cheval haute, des couettes à rubans et de la natte simple. Quand tu sauras bien les faire, les coiffures plus compliquées te paraîtront faciles.

Les mini-tresses sont particulièrement jolies avec des perles.

En appliquant tout simplement les techniques de base, tu pourras obtenir cette coiffure spectaculaire. Les rubans apportent la touche finale.

Tu dois aussi apprendre à brosser et à peigner correctement tes cheveux. Ne les tire pas à grands coups de peigne mais, au contraire, brosse-les doucement pour les lisser et les rendre plus faciles à coiffer. Pour éliminer les nœuds, prends un peigne à dents larges. Sépare les mèches emmêlées et commence à peigner sous le nœud en remontant peu à peu jusqu'à ce que le nœud disparaisse. N'essaye pas de forcer le peigne à descendre à travers le nœud, tu ne ferais qu'arracher les cheveux.

Faire une raie au milieu ou de côté est facile avec un peigne à dents larges, mais la faire droite demande plus d'habitude. Ta coiffure ne sera réussie que si ta raie ne ressemble pas à un serpent gigotant!

Aucune chevelure n'est semblable, et certains types de cheveux sont plus adaptés à certains styles de coiffures. Tu trouveras le style qui te convient en faisant des essais. Si tes cheveux sont difficiles à coiffer, brosse-les avec une brosse en soies de sanglier recouverte avec un vieux foulard en soie. L'électricité statique qui les rend impossibles à coiffer disparaîtra comme par magie! Pour aplatir les cheveux ébouriffés, lisse-les avec tes mains mouillées.

Fournitures et matériel

Voici le matériel et les accessoires indispensables à ton salon de coiffure. Tu n'as aucun besoin de sèche-cheveux ou de gel et de lotions pour créer de jolies coiffures. Si tu te lances ensuite dans des coiffures plus compliquées réclamant un sèche-cheveux, demande la permission à un adulte.

⋏ **Perles.** Les perles à tresses ont un large trou permettant de passer une natte fine. Elles existent en de nombreuses couleurs et tu les trouveras dans les boutiques d'artisanat-loisirs.

⋏ **Brosse.** Il te faut une brosse à poils doux et espacés, en nylon ou en fibres naturelles. Pour enlever les cheveux de la brosse, passe un peigne à travers les poils. Certaines brosses peuvent être lavées sous le robinet. La brosse et le peigne sont des objets personnels.

⋏ **Élastiques.** Il te faut tout un assortiment d'élastiques recouverts de mousse ou de tissu. Contrairement aux élastiques ordinaires, ils n'abîment pas les cheveux. Ils existent en toutes tailles, épaisseurs, couleurs et textures. Tu les trouveras à bon marché dans les supermarchés, par paquets assortis.

⋏ **Bigoudis en tissu, ou twisters.** Faciles à utiliser et beaucoup plus agréables que les bigoudis rigides. Tu les trouveras dans les supermarchés.

⋏ **Serre-tête.** Il permet de dégager ton visage. Généralement en plastique flexible, certains sont molletonnés, recouverts de tissu, de ganse ou de ruban.

⋏ **Pinces.** Pour maintenir une petite mèche de cheveux en place. Elles sont en métal, aux extrémités recouvertes de plastique pour ne pas abîmer les cheveux ou piquer la tête. Elles existent en différentes tailles et couleurs.

⋏ **Rubans.** Tu n'auras jamais assez de rubans pour te coiffer! Collectionne-les de toutes les couleurs, largeurs, textures et motifs.

⋏ **Chouchou.** Élastique recouvert d'une large bande de tissu. Les chouchous existent en différentes tailles.

⋏ **Ganse.** Elle te permet d'attacher les nattes et tu peux l'acheter au mètre dans les merceries ou les boutiques d'artisanat-loisirs. Les ganses mates et légèrement rugueuses qui ne glissent pas sont les plus faciles à utiliser.

⋏ **Fil.** Pour enfiler les perles sur les tresses, il te faut un fil épais, du coton perlé par exemple. Il en existe de toutes les couleurs, et même en doré.

⋏ **Peigne à dents larges.** Parfait pour démêler les nœuds. Lave-le après usage.

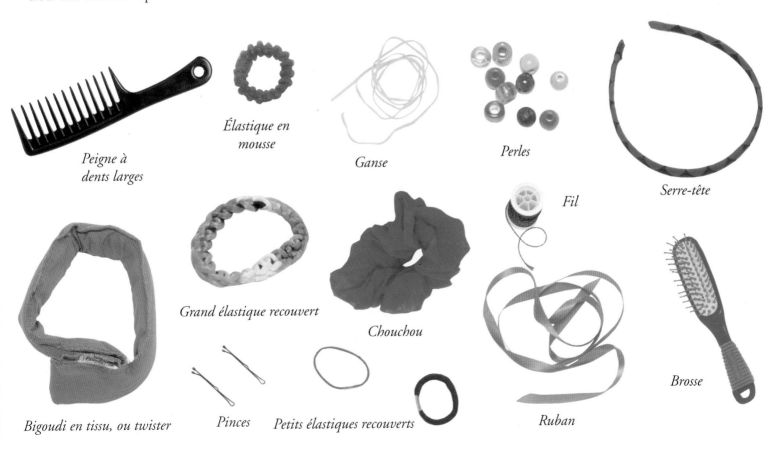

Peigne à dents larges

Élastique en mousse

Ganse

Perles

Serre-tête

Fil

Grand élastique recouvert

Chouchou

Bigoudi en tissu, ou twister

Pinces

Petits élastiques recouverts

Ruban

Brosse

Accessoires

Les accessoires pour cheveux servent à décorer plus qu'à créer une coiffure. Ils mettent la touche finale aux queues de cheval, tresses et couettes. Même une simple barrette peut transformer une coiffure ordinaire.

Beaucoup de magasins t'offrent toutes sortes de jolis accessoires colorés. Certains sont chers, d'autres très bon marché. Quand tu choisis un accessoire, vérifie qu'il convient à tes cheveux et à la coiffure que tu veux réaliser. Certaines barrettes, par exemple, sont faites pour les cheveux longs ou épais, d'autres pour les cheveux fins ou courts. Essaye toujours de coordonner tes accessoires à tes tenues favorites ou aux autres accessoires utilisés.

Tu n'es pas obligée d'acheter des accessoires spéciaux, tu peux les faire toi-même avec toutes sortes de matériaux, comme le montrent les illustrations ci-dessous : barrettes décorées de ballons non gonflés, de fleurs en tissu, d'un fin ruban, ou encore de bonbons vernis.

Voici quelques matériaux inattendus qui te permettront d'inventer et de décorer tes propres accessoires : raphia de couleur, ficelle, coquillages, perles, coton à broder, papier mâché, jouets et poupées miniatures, papier crépon (ne le mouille pas), sachets en plastique, bolduc, morceaux de tissu, haricots secs et nouilles.

Peigne-pince en écaille

Soleil en tissu fixé sur une barrette

Barrette avec nœud de velours et bouton fantaisie

Pince avec fils multicolores

Petites pinces décorées d'une fleur miniature et d'un fin ruban

Barrette recouverte de bonbons

Élastique décoré de ballons

Chouchou fait d'un foulard

Bandeau twister

Élastique avec un petit cochon

Élastique étroit décoré de perles

Barrettes avec rose en tissu et cocarde en tulle

Le bandeau perlé

Tu peux créer un accessoire original
en cousant simplement des perles colorées
sur un serre-tête molletonné.

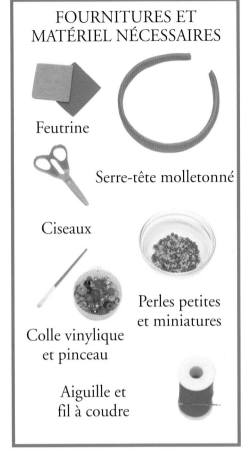

**FOURNITURES ET
MATÉRIEL NÉCESSAIRES**

Feutrine

Serre-tête molletonné

Ciseaux

Perles petites
et miniatures

Colle vinylique
et pinceau

Aiguille et
fil à coudre

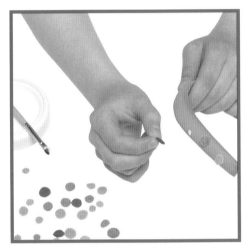

1 Découpe des petites pastilles de feutrine de différentes couleurs. Pose un peu de colle sur le serre-tête à l'endroit où tu veux les placer. Colle les pastilles et laisse sécher.

2 Couds soigneusement une perle avec quelques points au centre de chaque pastille et fais un nœud autour de la perle. Coupe le fil tout près du nœud. Procède de même pour les autres perles.

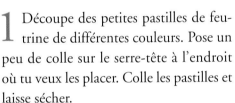

3 Pour un serre-tête de style différent, assortis les perles à la couleur de fond ou crée un effet d'arc-en-ciel en cousant les perles en rangées d'une seule couleur. Pour une occasion spéciale, couds des perles brillantes sur un serre-tête noir.

La queue de cheval

La queue de cheval est très facile à réaliser.
Elle maintient tes cheveux en place
et les empêche de s'emmêler.

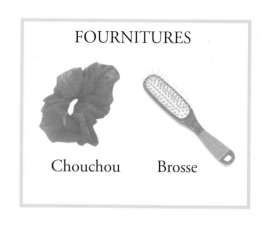

FOURNITURES

Chouchou   Brosse

1 Brosse-toi les cheveux en arrière à longs coups de brosse pour bien éliminer tous les nœuds. Défais ceux que tu trouves par de légers coups de brosse.

2 Pose un chouchou sur ton poignet, puis tire tes cheveux en arrière avec les deux mains.

Pour tenir les cheveux

Le chouchou est parfait pour tenir les cheveux parce qu'il ne les arrache pas quand tu le retires, contrairement aux élastiques ordinaires. Si tes cheveux sont très soyeux ou très fins, attache-les d'abord avec un petit élastique recouvert de tissu, puis avec un gros chouchou coloré.

3 Fais glisser le chouchou sur la queue de cheval. Tiens tes cheveux d'une main et tords le chouchou avec l'autre. Repasse la queue de cheval dans le chouchou plusieurs fois, de manière à la serrer suffisamment.

La queue de cheval haute

Une queue de cheval perchée au sommet de ta tête sera super pour une fête!

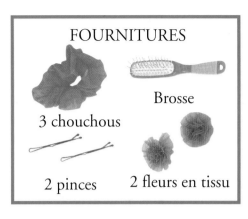

FOURNITURES

Brosse

3 chouchous

2 pinces

2 fleurs en tissu

1 Penche la tête en avant et brosse tes cheveux depuis la nuque jusqu'aux pointes. Démêle bien les nœuds. Choisis une brosse qui n'abîme pas tes cheveux.

2 Prends tes cheveux d'une main et lisse-les avec les doigts de ta main libre. Tiens-les bien et relève la tête.

3 Pose un chouchou sur tes doigts et passe tes cheveux à l'intérieur. Fais plusieurs tours avec le chouchou jusqu'à ce que tes cheveux soient assez serrés.

4 Mets deux autres chouchous par-dessus le premier, cela donnera l'impression que tu es plus grande! Tu peux prendre des chouchous de couleurs assorties ou contrastées.

Maintiens les fleurs en tissu en place à l'aide de pinces à cheveux. Les fleurs en tissu se trouvent dans les merceries et les boutiques d'artisanat-loisirs.

La double queue de cheval

Les mèches qui encadrent ton visage sont maintenus en arrière et le reste de ta chevelure est attaché en queue de cheval à l'aide de jolis chouchous colorés.

Conseil pratique

Le bandeau twister est formé d'une bande de tissu recouvrant un long fil de fer souple cousu sur le bord. Pour faire le gros nœud, pose le bandeau autour de ta tête et tords les extrémités ensemble.

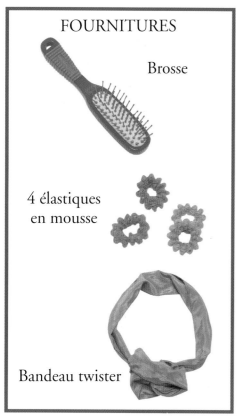

FOURNITURES

Brosse

4 élastiques en mousse

Bandeau twister

La double queue de cheval se porte dans le dos, mais si tes cheveux sont très longs, tu peux la porter sur l'épaule.

1 Brosse-toi bien les cheveux pour défaire les nœuds. Sers-toi de tes pouces pour séparer les mèches qui encadrent le visage. Retiens-les d'une main.

2 Prends un élastique en mousse pour attacher ces mèches. Tu auras sûrement besoin de faire deux ou trois tours pour qu'il reste bien en place.

3 Rassemble tous tes cheveux sur la nuque et pose un autre élastique en mousse de couleur différente. Fais suffisamment de tours pour qu'il tienne bien.

4 Prends un élastique d'une autre couleur et pose-le juste en dessous du précédent.

5 Place un autre élastique de couleur à mi-hauteur de la queue. Lisse bien l'extrémité de la queue avec la brosse ou le peigne.

Pour finir, place le bandeau autour de ta tête, sous ou sur la queue de cheval. Ramène les extrémités du bandeau sur le dessus de la tête et tords-les ensemble pour faire un gros nœud.

La queue de cheval fantaisie

Conseil pratique

Enroule plusieurs rubans ensemble pour obtenir un effet original. Choisis des couleurs assorties à tes vêtements. Pour empêcher les rubans de glisser, maintiens-les avec des petites pinces à cheveux posées juste derrière l'oreille.

Si tu veux laisser repousser ta frange, rassemble les petits cheveux qui te gênent et attache-les pour faire une sorte de houppette.

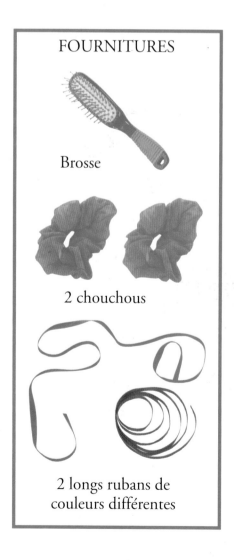

FOURNITURES

Brosse

2 chouchous

2 longs rubans de couleurs différentes

1 Brosse bien tes cheveux pour défaire les nœuds. Prends les cheveux sur les tempes et ramène-les sur le sommet du crâne avec tes deux pouces.

2 Glisse un chouchou sur les doigts d'une main, et prends les cheveux dans l'autre main.

3 Enfile les cheveux dans le chouchou et fixe-le bien. Fais attention de ne pas lâcher tes cheveux. Continue de faire des tours avec le chouchou jusqu'à ce qu'il soit bien en place.

4 Entoure tes cheveux d'un second chouchou, au-dessus du premier. Ainsi, tu auras une queue de cheval fantaisie haute. Si le premier chouchou est assez large et épais, tu n'as pas besoin d'en ajouter un second.

Ajoute une touche de fantaisie en t'entourant la tête de deux rubans de couleurs différentes. Place-les comme un serre-tête et attache-les derrière la nuque.

Les couettes à rubans

Quelle que soit la longueur de tes cheveux, tu peux te faire de jolies couettes. Noue des rubans de couleurs vives ou bien de beaux nœuds pour une fête.

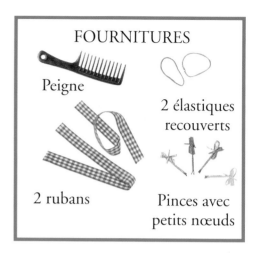

FOURNITURES

Peigne

2 élastiques recouverts

2 rubans

Pinces avec petits nœuds

1 Fais une raie du milieu du front à la nuque. Place un élastique sur une de tes mains en le laissant au niveau des jointures, et prend une moitié de cheveux dans l'autre main.

2 Passe la couette dans l'élastique en tenant bien tes cheveux et en te servant du pouce pour retenir l'élastique.

3 Tourne l'élastique une fois, puis passe les doigts dans la boucle et fais-y glisser les cheveux. Recommence l'opération jusqu'à ce que l'élastique soit bien en place.

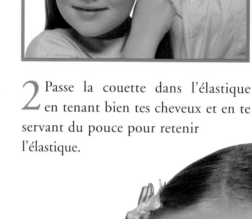

4 Noue un ruban par-dessus l'élastique. Fais de même pour l'autre couette. Pour finir, pose deux pinces avec des petits nœuds de chaque côté de la raie.

Les couettes à élastiques

Fais-toi des couettes en les serrant de haut en bas avec des élastiques multicolores. Personnalise ta coiffure avec deux barrettes fantaisie.

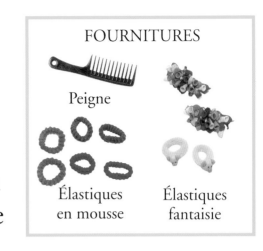

FOURNITURES

Peigne

Élastiques en mousse

Élastiques fantaisie

1 Fais-toi une raie du milieu du front à la nuque. Enfile un élastique sur une de tes mains, à la hauteur des jointures, et fais-le glisser sur la moitié des cheveux. Fixe la couette à l'aide de plusieurs tours. Fais la même chose avec l'autre couette.

2 Prends deux élastiques fantaisie (ici avec des petits cochons) et poses-en un sur chacune de tes couettes. Fais autant de tours qu'il faudra pour qu'ils tiennent bien.

3 Prends deux autres élastiques en mousse de couleurs différentes. Pose-les à environ 5 cm des premiers.

4 Prends d'autres élastiques en mousse colorés et espace-les de 5 cm, jusqu'à la pointe des cheveux.

Sais-tu comment sont décorées ces drôles de barrettes? Avec plein de petits ballons non gonflés!

117

Les couettes sympa

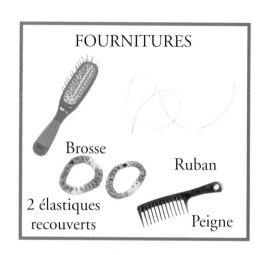

FOURNITURES

Brosse

Ruban

2 élastiques
recouverts

Peigne

Les couettes hautes sont très faciles à faire
sur des cheveux coupés au carré. Si tu ajoutes
un ruban, tu seras encore plus ravissante.

1 Fais-toi une raie au milieu et brosse-
toi les cheveux pour qu'ils soient
bien lisses. Sépare une petite mèche d'un
côté et brosse-la. Essaye des couettes de
plusieurs grosseurs.

2 Attache la couette avec un élastique.
Ceux que nous avons utilisés sont
multicolores en soie crochetée. Choisis
ceux qui te plaisent mais veille à
ce qu'ils ne soient ni trop fins ni
trop larges.

3 Fais autant de tours qu'il faut pour
que les cheveux tiennent bien en
place. Fais la même chose pour l'autre
couette.

Conseil pratique

Pour garder tes cheveux
brillants, rince-les
à l'eau froide après
le shampooing.

4 Sépare une petite partie de l'une
des couettes et glisse un ruban dans
l'élastique en laissant dépasser les deux
parties du ruban de même longueur.
Entortille le ruban autour des cheveux
et termine par un nœud.

Les boucles coquines

Avec les cheveux bouclés, tu peux créer toutes sortes de coiffures. Il suffira de trois jolis élastiques pour habiller tes boucles et changer de look.

FOURNITURES

Brosse

3 grands élastiques en mousse

1 Prends les cheveux sur le dessus de la tête et lisse-les à l'aide d'une brosse en soie. Ne les brosse pas sur toute la longueur pour ne pas défaire les boucles.

2 Prends un gros élastique en mousse avec lequel tu pourras faire plusieurs tours, et place-le de façon à retenir les cheveux au sommet de ta tête.

3 Prends une mèche de cheveux sur le côté et attache-la avec un gros élastique d'une autre couleur. Ne passe surtout pas la brosse ni le peigne dans le reste de tes cheveux.

4 Fais la même chose de l'autre côté avec un élastique d'une troisième couleur. Si tu le désires, tu peux utiliser plus d'élastiques.

Cette demoiselle est prête pour aller danser et ses cheveux vont onduler sur ses épaules!

La natte simple

La natte à trois mèches, ou tresse, est très facile à faire. Les nattes sont pratiques pour discipliner les cheveux, surtout pour nager.

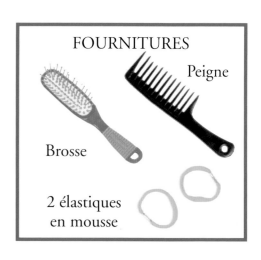

FOURNITURES

Peigne

Brosse

2 élastiques en mousse

1 Fais une raie au milieu depuis le front jusqu'à la nuque. Divise une moitié de tes cheveux en trois parties égales et tiens les extrémités entre tes doigts.

2 Passe la mèche de derrière par-dessus celle du milieu. Fais bien attention à ce que les deux autres mèches restent séparées.

3 Fais passer la mèche de devant par-dessus celle du milieu. Tire sur tes mèches pour que la natte soit bien droite et bien serrée.

Arrête la natte à environ 5 cm de la pointe de tes cheveux. Prends un élastique, glisse tes cheveux à l'intérieur et fais plusieurs tours pour que la natte soit bien attachée.

4 La natte commence maintenant à se former. Continue à croiser les mèches en ramenant celles de devant et de derrière par-dessus celle du milieu.

La natte triple

C'est la coiffure idéale pour celles qui ont une épaisse chevelure bouclée. On divise la masse des cheveux pour réaliser trois tresses qu'on rassemble ensuite en une seule.

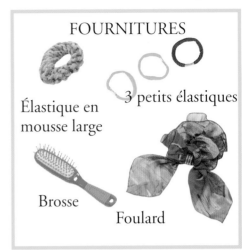

FOURNITURES

Élastique en mousse large

3 petits élastiques

Brosse

Foulard

1 Brosse tes cheveux et rassemble-les en catogan (une queue de cheval basse). Vérifie que les cheveux sont bien lisses et qu'aucune mèche ne dépasse.

2 Divise le catogan en trois parties égales. Tresse la première de haut en bas. Si tes cheveux sont assez longs, ramène la natte sur le devant.

3 Quand tu arrives à la pointe des cheveux, fixe la tresse avec un élastique. Tresse les deux autres parties de ta chevelure de la même manière. Maintenant, tu as trois nattes.

4 Tresse-les ensemble. Tu vas obtenir une natte très épaisse qui ressemble à une torsade.

Pour terminer, noue un foulard autour de la tresse. Tu peux le remplacer par un grand élastique assorti à celui du haut.

Les nattes à l'indienne

Cette coiffure s'inspire de l'une de celles des Indiens d'Amérique du Nord qui, après avoir natté leurs cheveux, entourent les tresses de ficelle ou de cordelette colorée.

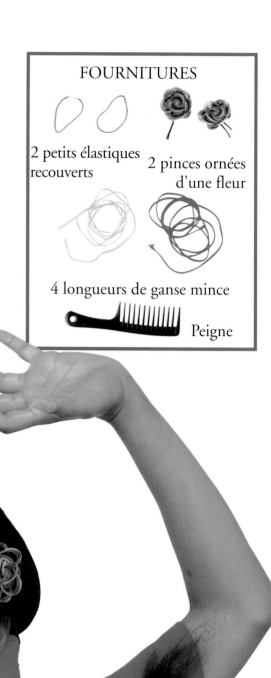

FOURNITURES

2 petits élastiques recouverts

2 pinces ornées d'une fleur

4 longueurs de ganse mince

Peigne

Évite de prendre une ganse lisse et brillante, elle est difficile à nouer et ne tient pas sur les tresses.

1 Fais-toi une raie au milieu et tresse une mèche sur le côté. Tire bien pour que la tresse reste droite.

2 Attache l'extrémité avec un élastique que tu entoureras plusieurs fois pour qu'il tienne bien. Recommence de l'autre côté.

Ajoute des fleurs ou des pinces assorties de chaque côté de la tête. Place-les en avant ou au-dessus des nattes.

3 Entoure la tresse avec de la ganse, en partant du haut et en serrant bien.

4 À mi-hauteur de la tresse, prends une autre couleur. Maintiens les extrémités des deux ganses contre la natte et enroule la nouvelle couleur en serrant bien, jusqu'au bout de la natte.

5 Glisse l'extrémité de la ganse dans l'élastique de la tresse.

Les rubans chics

FOURNITURES

Peigne   4 petits élastiques recouverts

3 × 2 m de ruban étroit

Entrelacées de rubans, tes tresses seront encore plus jolies. Fais une grande boucle de couleurs vives au bout de chaque ruban.

1 Fais-toi une raie au milieu et brosse tes cheveux. Rassemble-les en couettes de chaque côté et attache-les avec un élastique, à la hauteur de l'oreille. Coupe chaque ruban en deux.

2 Prends trois rubans de même longueur mais de couleurs différentes. Fais-les glisser dans l'élastique jusqu'à la moitié et fais un nœud simple. Vérifie que les rubans sont à la même hauteur.

3 Sépare tes cheveux en trois mèches et insère un ruban dans chacune d'elles. Natte tes cheveux avec les rubans jusqu'à la pointe.

4 Attache la natte ainsi que les rubans à l'aide d'un élastique. Puis prends les extrémités de chaque ruban et fais un nœud. Tresse et attache l'autre moitié de cheveux de la même façon.

Choisis des rubans assortis à tes vêtements ou aux couleurs de ton équipe de football favorite!

Le ruban torsadé

Pour donner un petit air sage à des cheveux frisés, tresse une queue de cheval avec un ruban et fais une torsade.

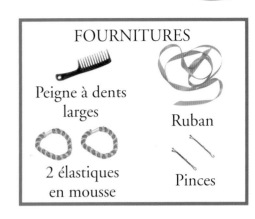

FOURNITURES

Peigne à dents larges

2 élastiques en mousse

Ruban

Pinces

1 Penche ta tête et prends un peigne aux dents très larges pour relever tes cheveux. Tiens-les d'une main et pose un élastique sur l'autre. Fais autant de tours qu'il faut pour bien maintenir ta queue de cheval.

2 Tresse ta queue de cheval de haut en bas et attache la pointe avec un autre élastique.

3 Fais passer un ruban sous l'élastique du haut et ajuste les longueurs de part et d'autre. Enroule le ruban autour de la tresse jusqu'à la pointe des cheveux.

4 Prends d'une main les deux morceaux du ruban et la natte, et enroule le tout pour faire un chignon torsadé. Pose une ou deux pinces à cheveux pour le maintenir en place, mais laisse flotter les extrémités du ruban.

La torsade, très élégante, est parfaite pour un mariage ou une fête costumée.

Les tresses perlées

Les petites tresses décorées de perles font toujours beaucoup d'effet. Encadre ton visage de quelques tresses ou demande à une amie de t'en faire tout autour de la tête.

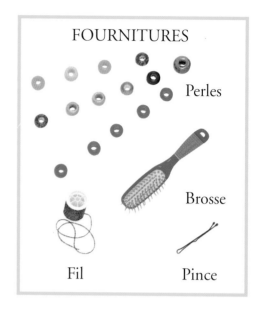

FOURNITURES

Perles

Brosse

Fil

Pince

Attention !

Fais attention à bien ranger tes perles en lieu sûr, à l'abri des bébés et des jeunes enfants qui pourraient les prendre pour des bonbons.

Ajoute des perles de couleur pour donner de l'éclat à ta coiffure.

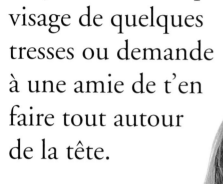

126

1 Tresse une petite mèche de cheveux d'un côté du visage. Maintiens-la avec une pince. Plie 20 cm de fil brillant pour former une boucle.

2 Enfile la boucle du fil dans le trou de la perle. Prends des perles avec un gros trou au milieu, ce sera plus facile.

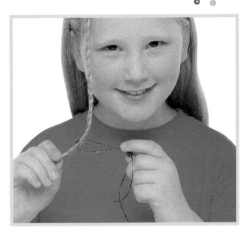

3 Retire la pince qui retient la natte et passe celle-ci dans la boucle du fil. Tiens bien la perle pour qu'elle ne tombe pas.

4 Fais glisser la perle vers la tresse, puis tire sur le fil. La perle se trouve maintenant sur la natte. Tire jusqu'à ce que la pointe sorte bien.

5 Entoure le fil autour de la pointe de la tresse en faisant attention à ce que la mèche soit bien lisse. Continue jusqu'à ce que tu aies recouvert environ 1 cm de cheveux sous la perle.

Toujours plus de perles !

Pour enfiler plus d'une perle sur chaque tresse, va jusqu'à l'étape 4 puis enfile une autre perle sur le fil. Pousse la perle vers la tresse et tire sur le fil pour que la tresse passe à travers le trou de la perle. Pose ainsi plusieurs perles avant de continuer les étapes 5 et 6.

6 Fais un nœud. Au besoin, coupe les bouts de fil qui dépassent, mais fais bien attention de ne pas te couper les cheveux en même temps.

Les tresses perlées sont plus jolies si les perles de chaque tresse sont à la même hauteur.

Tresses et nœuds

Tu peux nouer deux simples tresses sur la nuque avec un joli nœud et encadrer ton visage de petites nattes décorées de perles.

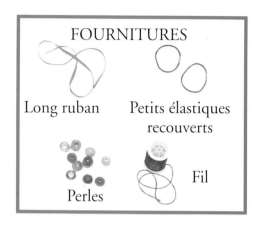

FOURNITURES

Long ruban   Petits élastiques recouverts

Perles   Fil

1 Fais une raie au milieu et tresse une petite mèche sur le côté en commençant très près de la racine. Maintiens la tresse avec un élastique.

2 Attrape une petite mèche de l'autre côté du visage et fais la même chose. Fixe tes tresses avec un élastique bien serré.

3 Tire les tresses en arrière. Attache-les ensemble avec un long ruban que tu laisseras pendre.

4 Tresse deux autres mèches, juste devant les oreilles. Enfile trois perles de couleurs différentes sur chaque tresse (voir page 127). Tu peux choisir des perles assorties à la couleur du ruban.

Tu peux également attacher les tresses avec un chouchou fantaisie ou un élastique décoratif.

Les tresses enrubannées

Des cheveux longs tressés avec des rubans de couleur sont vraiment très jolis!

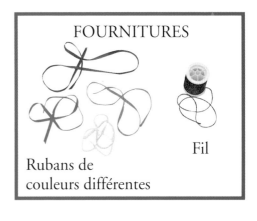

FOURNITURES

Fil

Rubans de
couleurs différentes

1 Tresse une petite mèche de cheveux en serrant bien, de la racine à la pointe. Fais-toi aider par une amie pour faire les nattes derrière la tête.

2 Attache la pointe de chaque tresse avec un fil de couleur. Fais plusieurs tours avant de finir par un nœud bien serré.

3 Plie un ruban en deux et attache-le en haut de la tresse, les deux moitiés devant être de la même longueur. Enroule les rubans autour de la tresse en les croisant devant derrière.

Conseil pratique

La longueur de chaque ruban doit faire trois fois la longueur de la tresse.

4 Fais un nœud au bout. Recommence jusqu'à ce que tu aies entièrement recouvert ta tête de nattes. N'hésite pas à demander de l'aide pour celles de derrière.

129

Les friselis d'enfer

Tu n'as pas besoin d'un fer à friser pour
réaliser ces friselis. Quelques tresses
suffiront, à condition que tu
les gardes toute une nuit.
Alors, ne les fais qu'au
dernier moment.

Conseil pratique

Pour défaire les nattes, il faut de la
patience et de la délicatesse. Démêle
les nœuds avec un peigne à dents
larges, du bas de la mèche vers le haut.
Si tu n'utilises qu'un peigne à
larges dents, tes tresses devraient tenir
jusqu'au prochain shampooing.

FOURNITURES

Peigne à
dents larges

Fil

Serre-tête

Fleurs
en tissu

1 Divise tes cheveux en petites mèches que tu tresseras bien serrées de la racine à la pointe. Plus les tresses seront fines, plus tes cheveux auront l'air crépus.

2 Attache le bout de chaque tresse avec du fil, fais deux ou trois tours, puis termine par un nœud. Tu peux aussi utiliser de petits élastiques.

3 Conserve les tresses toute la nuit pour laisser tes cheveux prendre leur pli. Tu peux les humidifier avec un peu d'eau, mais ne te couche surtout pas avec les cheveux mouillés.

4 Le matin, défais les tresses avec soin en passant les doigts dans chacune.

5 Laisse tes cheveux libres ou maintiens-les avec un serre-tête. Pour une occasion spéciale, fais deux queues de cheval devant, retenues par de la ganse et des fleurs en tissu.

La cascade de boucles

Avec des bigoudis en tissu, tu peux transformer des cheveux raides en une masse de boucles. Tu les garderas toute la nuit ou seulement quelques heures.

Conseil pratique

Tu seras encore plus bouclée si, avant de mettre les bigoudis, tu mouilles légèrement tes cheveux avec un vaporisateur. Ne te couche jamais avec les cheveux mouillés.

FOURNITURES

Bigoudis twisters en quantité

Fleur en tissu   Brosse

Pour que tes boucles soient encore plus belles, fais-toi une petite queue de cheval sur le sommet de la tête. Maintiens-la avec un élastique et fixe une jolie fleur en tissu sur le devant avec une pince à cheveux. Étale la queue de cheval sur les côtés et l'arrière de la tête.

1 Plie un bigoudi en deux autour d'une mèche de cheveux, à la pointe de la mèche.

2 Enroule lentement les cheveux sur le bigoudi jusqu'en haut de la mèche, en le tenant bien.

3 Quand tu es arrivée à la racine, rapproche les extrémités du bigoudi et tords-les ensemble.

4 Pose ainsi des bigoudis sur toute la tête. Plus les mèches seront grosses, moins tu seras bouclée. Pour être très frisée, prends des petites mèches et beaucoup de bigoudis.

Pour découvrir tes nouvelles boucles, détache les bigoudis et enlève-les avec précaution. Passe les doigts à travers chaque boucle et admire-toi dans la glace !

5 Laisse les bigoudis en place toute la nuit. Ils sont souples et ne t'empêcheront pas de dormir.

Masques de fête

Thomasina Smith

Introduction

Les masques ont une longue et fascinante histoire. Leur emploi et leur signification ont souvent varié d'une culture à l'autre, mais ils ont toujours servi à métamorphoser ceux qui les portaient. Certains servaient lors de rituels ou de cérémonies au cours desquelles leurs utilisateurs étaient transformés en dieux et en esprits. D'autres étaient employés au théâtre, comme au Japon ou dans la Grèce antique. La mascarade consistait à porter des masques lors des bals et des fêtes. Au carnaval de Venise, des milliers de personnes s'affublent encore chaque année de masques extraordinaires et paradent dans les rues de la ville.

Les masques présentés dans ce chapitre sont amusants et faciles à confectionner. Pour les fabriquer, tu pourras utiliser toutes sortes de méthodes et de matériaux : du papier mâché aux objets ménagers usuels. Tu pourras les porter pour te déguiser, te rendre à un bal costumé, participer à une production théâtrale de ton école, ou simplement les accrocher comme décoration.

Voici le masque de l'horrible sorcière !

Le masque vénitien te donne un air mystérieux.

Essayer le masque

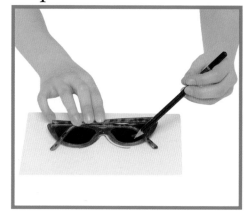

Il est préférable de prendre les mesures de ton visage au moment de fabriquer un masque, notamment la distance entre les yeux ou celle de ton nez à ta bouche. Tu peux tracer le contour d'une paire de lunettes pour indiquer l'emplacement de tes yeux et la forme de ton nez. Ces précautions sont particulièrement utiles pour réaliser des masques comme le masque vénitien.

Percer les yeux

1 Maintiens une assiette en carton ou un morceau de carton sur ton visage. À l'aide de tes doigts, cherche tes yeux.

2 Lorsque tu as trouvé l'emplacement de tes yeux, indique leur position avec un crayon.

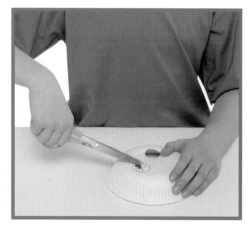

3 Fais deux cercles autour des marques, perce un trou au centre et découpe le pourtour.

Découper la bouche

Découper une bouche dans une assiette en carton ou dans du bristol est facile si tu connais le truc.

Dessine le contour de la bouche sur l'envers d'une assiette en carton. Plie le masque en deux pour que le milieu de la bouche se trouve sur le pli. Coupe le pli en suivant ton contour. Tu seras sûr ainsi que les deux côtés de la bouche seront identiques.

Un masque peut en cacher un autre : ouvre celui du loup et tu découvriras un agneau.

Fixer les lacets et les attaches

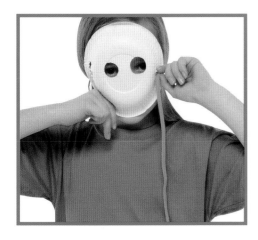

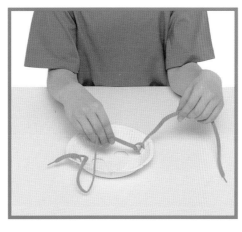

1 Perce deux petits trous de chaque côté du masque. Fixe un lacet d'un côté et mets le masque devant ton visage. Passe le lacet derrière ta tête et attrape-le avec les doigts à hauteur du second trou.

2 Retire le masque mais ne lâche pas le lacet. Fais une marque à l'emplacement de tes doigts. Enfile le lacet à travers le second trou et noue-le solidement.

3 Pour fixer un ruban d'attache, tu peux le coller sur l'envers du masque. Marque le milieu d'un ruban de 1 m de long et aligne la marque avec le milieu du masque, juste en dessous des yeux. Laisse bien sécher.

Ce poisson a vraiment une drôle d'allure !

Attention !

🖐 Garde hors de portée des jeunes enfants la colle et les ustensiles et objets pointus et coupants.

🖐 N'approche jamais d'objets pointus de tes yeux. Si tu essaies un masque pour la première fois, vérifie que l'envers ne porte aucune trace de peinture ou de colle fraîches et que les bords ne sont pas coupants. Colle du ruban adhésif transparent à cheval sur le bord des masques en moules d'aluminium, et autour des trous des yeux, du nez et de la bouche.

🖐 Tu ne dois jamais utiliser de sacs ou d'emballages en plastique pour décorer un masque.

🖐 Demande à un adulte de couper les pointes et de retirer les échardes des brochettes en bois avant de les utiliser.

Matériel

Voici les listes du matériel et des fournitures qui te serviront à fabriquer tes masques.

▲ **Panier.** Trouve un panier rond en osier ou en paille de la taille d'une grande assiette.

▲ **Coton hydrophile.** Tu peux utiliser des boules de coton ou du coton en vrac.

▲ **Carton ondulé.** Carton brun épais dont une face est ondulée, l'autre lisse. Pour certaines réalisations, tu peux utiliser des emballages recyclés. Pour d'autres, il t'en faudra une grande feuille. Tu le trouveras en rouleaux ou en feuilles dans les papeteries et les boutiques d'artisanat-loisirs.

▲ **Vaisselle jetable.** Assiettes en papier, tasses en plastique et moules en aluminium. Tu peux recycler des emballages vides.

▲ **Tissu.** Tu peux utiliser une grande chute de tissu uni ou imprimé ou en acheter une bon marché.

▲ **Entonnoir.** Tu trouveras un petit entonnoir en plastique au supermarché. Tu t'en serviras pour faire le nez d'un masque.

▲ **Bac à glaçons.** Un bac à glaçons rectangulaire en plastique peut servir à fabriquer un masque. Comme il ne sera pas réutilisable, prends un vieux bac à glaçons ou achète-le.

▲ **Journal.** Pour recouvrir ta surface de travail et faire du papier mâché.

▲ **Tampon à récurer.** Tampon rond en plastique ou métallique destiné à récurer les casseroles. Il existe en plusieurs couleurs vives, cuivre brillant ou inox.

▲ **Cure-pipes.** Tu les trouveras dans les boutiques d'artisanat-loisirs, en différentes couleurs et longueurs. Il te faudra un assortiment de cure-pipes de couleur, rayés et brillants.

▲ **Lacets de chaussures.** Ils permettent d'attacher les masques. Tu peux les peindre ou en acheter de la couleur du masque.

▲ **Éponge.** Trace au stylo-feutre la forme de ton choix sur une éponge ordinaire et découpe-la avec des ciseaux.

▲ **Ficelle.** Pour attacher les masques, il te faudra de la ficelle fine, unie ou de couleur.

▲ **Lunettes de natation.** Si tu n'en as pas déjà, tu peux en acheter dans un magasin de sports. Ces lunettes permettent de faire des masques amusants et, à l'occasion, protègent tes yeux. Porte-les chaque fois que tu dois découper quelque chose qui risque de te sauter dans l'œil.

▲ **Brise-jet.** Se met sur le robinet de l'évier pour diriger le jet. Tu peux en acheter un en plastique au supermarché. Il te servira à faire le nez d'un masque.

▲ **Balle de tennis.** Pour un grand masque, comme celui du géant espagnol, fais deux superbes yeux avec une vieille balle de tennis coupée en deux et peinte. Demande à un adulte de t'aider à la couper.

Éponge

Panier

Lunettes de natation

Cure-pipes

Carton ondulé

Journaux

Vaisselle jetable

Tissu

Lacets de chaussures

Bac à glaçons

Coton hydrophile

Ficelle

Balle de tennis

Entonnoir

Brise-jet

Tampon à récurer

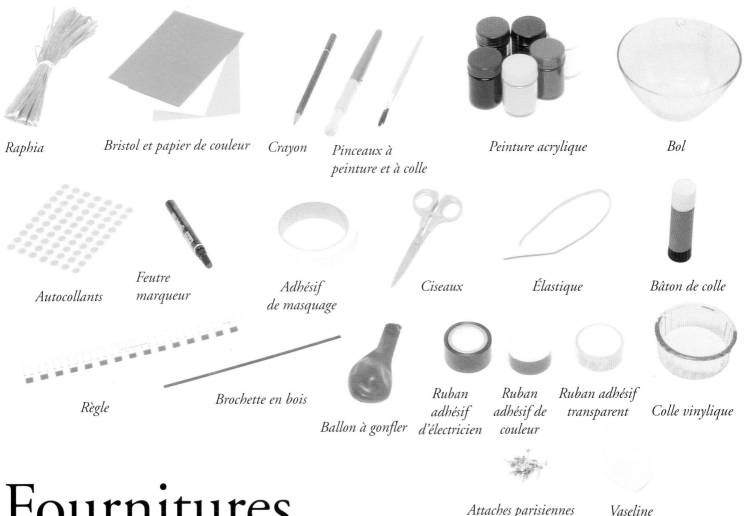

Raphia | Bristol et papier de couleur | Crayon | Pinceaux à peinture et à colle | Peinture acrylique | Bol

Autocollants | Feutre marqueur | Adhésif de masquage | Ciseaux | Élastique | Bâton de colle

Règle | Brochette en bois | Ballon à gonfler | Ruban adhésif d'électricien | Ruban adhésif de couleur | Ruban adhésif transparent | Colle vinylique

Attaches parisiennes | Vaseline

Fournitures

▲ **Peinture acrylique.** Peinture à l'eau qui existe en de nombreuses couleurs vives. Tu peux la remplacer par de la peinture pour affiches.

▲ **Ballon.** Il te faut un ballon rond ordinaire qui te servira de moule pour un masque en papier mâché.

▲ **Bristol et papier de couleur.** Utilise des restes de bristol ou de papier ou achète-les en feuilles dans une papeterie.

▲ **Élastique.** Pour attacher un masque, tu peux prendre de l'élastique étroit (vendu en mercerie). Tu peux le remplacer par un lacet, de la ficelle ou un ruban.

▲ **Ruban adhésif d'électricien.** Achète-le dans les quincailleries. Il existe en diverses largeurs et couleurs vives.

▲ **Bâton de colle.** Parfait pour coller du papier sur une surface plane. Lisse le papier avant séchage. Replace toujours le bouchon pour que la colle ne sèche pas.

▲ **Adhésif de masquage.** Pratique pour maintenir les objets pendant que la colle sèche. Il peut être peint.

▲ **Attaches parisiennes.** Petites attaches métalliques brillantes, avec une tête ronde et deux branches qui s'écartent pour maintenir ensemble deux morceaux de papier ou de bristol.

▲ **Vaseline.** Gel blanc très gras. On l'applique sur le ballon avant de le recouvrir de papier mâché. Elle empêche le papier mâché de coller au ballon.

▲ **Colle vinylique (colle blanche, colle à bois).** Colle résistante qui sert à coller le papier, le bristol, le tissu, le plastique ou le bois.

▲ **Raphia.** Matériau plat, en rubans, fabriqué avec les feuilles du palmier. Il s'achète en écheveaux de couleurs vives dans les boutiques d'artisanat-loisirs et dans les papeteries.

▲ **Ciseaux.** Il te faut de préférence deux paires de ciseaux, une pour couper le tissu et l'autre pour couper le papier.

▲ **Autocollants.** Des autocollants de toutes couleurs, formes et tailles te permettront de décorer tes masques.

▲ **Rubans adhésifs.** Pour faire tes masques, utilise des rubans adhésifs transparents, colorés ou à motifs.

▲ **Brochettes en bois.** Ces bâtonnets ronds, pointus et minces de 30 cm environ, sont vendus dans les supermarchés. Tu peux les remplacer par des petits tuteurs de plantes en pot, mais demande à un adulte de les couper à la bonne longueur.

Le tigre rouge

Ce masque s'inspire des masques
traditionnels asiatiques qui représentent
souvent des animaux sauvages.
Ils sont fabriqués avec des matériaux
naturels comme l'argile ou l'osier.

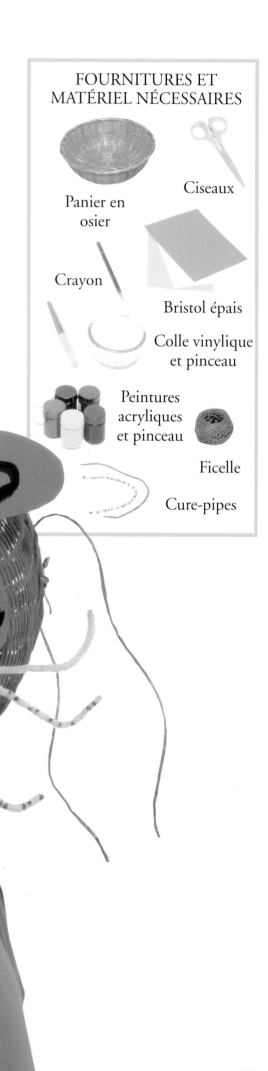

FOURNITURES ET
MATÉRIEL NÉCESSAIRES

Panier en
osier

Ciseaux

Crayon

Bristol épais

Colle vinylique
et pinceau

Peintures
acryliques
et pinceau

Ficelle

Cure-pipes

1 Découpe le fond du panier avec des ciseaux. Demande éventuellement à un adulte de t'aider. Attention ! Ne mets pas les doigts sous le panier quand tu le découpes.

2 Place le panier sur le bristol de couleur et, en suivant le contour du fond, trace la tête du tigre. Enlève le panier et dessine les deux oreilles.

3 Découpe la tête. Dessine et découpe le nez dans le bristol épais. Colle le nez à sa place et laisse sécher. Découpe les trous pour les yeux et la bouche.

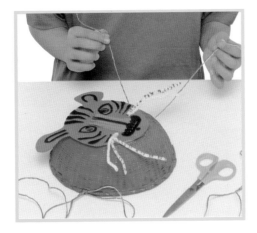

Animaux en osier

Tu peux réaliser plein d'animaux avec du bristol et des paniers en osier ou en paille. Conforme-toi aux instructions données ici en modifiant la tête, les oreilles, le nez et la couleur pour créer un singe, un lion, un éléphant ou un ours.

4 Colle la tête sur le panier et laisse sécher. Peins le nez en orange et dessine ses rayures avec la peinture noire. Colle quelques cure-pipes pour représenter les moustaches. Laisse sécher.

5 Enfile la ficelle dans les interstices du panier, de chaque côté du masque. Attache solidement ce dernier par un nœud derrière ta tête.

Ce masque est facile et rapide à réaliser. Pour ressembler à un vrai tigre, essaye de feuler et de te déplacer souplement, sans le moindre bruit.

Le masque vénitien

Conseil pratique

Si tu trouves que la colle vinylique n'est pas suffisante pour coller solidement le bâtonnet au masque, ajoute du ruban adhésif. Tu peux aussi en enrouler autour des deux extrémités pour maintenir les cure-pipes en place.

Venise est célèbre pour son carnaval, au cours duquel tout le monde se déguise et porte des masques. Celui-ci est simplement fixé à un bâtonnet. Les jolies Vénitiennes tiennent le masque devant leur visage si elles veulent cacher leur identité et l'abaissent pour révéler leur beauté.

FOURNITURES ET MATÉRIEL NÉCESSAIRES

Crayon

Bristol coloré

Paire de lunettes

Cure-pipes brillants

Papier crépon

Brochettes en bois

Napperon en papier

Colle vinylique et pinceau

Bâton de colle

Ciseaux

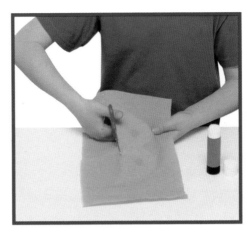

1 Pose une paire de lunettes sur le bristol et dessine les contours pour obtenir la forme du masque. Prolonge-les de chaque côté par une courbe fantaisie. Découpe le tout avec des ciseaux.

2 Badigeonne le bristol avec de la colle, puis recouvre-le de papier crépon. Coupe le papier qui dépasse avec des ciseaux.

3 Plie le napperon, puis découpe un cercle au milieu. Coupe le napperon en deux et replie une moitié en faisant des plis, à la manière d'un éventail.

Attention!

Sois prudent(e) quand tu te déplaces avec le masque. Ton champ de vision est limité aux petits trous percés pour les yeux. Le bâtonnet avec lequel tu le tiens peut aussi être dangereux.

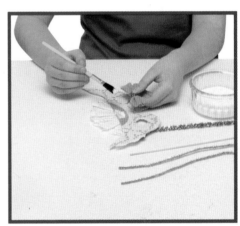

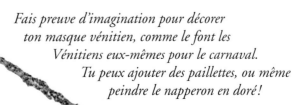

4 Colle l'autre moitié du napperon sur le devant du masque avec de la colle à papier, le demi-cercle étant vers le haut. Recoupe les bords pour qu'ils s'alignent parfaitement avec le masque. Colle le napperon plissé sur le haut du masque. Dessine et découpe des yeux sur le devant du masque.

5 Demande à un adulte de couper les deux pointes de la brochette en bois. Entoure-la de cure-pipes bien serrés, pour la recouvrir complètement, fixe-la sur l'envers du masque avec de la colle vinylique et laisse sécher. Coupe un rectangle de papier crépon et entoure le milieu avec un cure-pipes pour faire un nœud. Colle le nœud sur le masque, comme indiqué. Laisse sécher.

Fais preuve d'imagination pour décorer ton masque vénitien, comme le font les Vénitiens eux-mêmes pour le carnaval. Tu peux ajouter des paillettes, ou même peindre le napperon en doré!

Le lapin bleu

Fabrique cet amusant lapin en te servant
d'éponges de bain pour confectionner
ses grosses joues. Fais les moustaches
avec des brochettes en bois ou des pailles
en plastique.

FOURNITURES ET MATÉRIEL NÉCESSAIRES

Cure-pipes

Bristol coloré

Ciseaux

Crayon

Colle vinylique
et pinceau

Bâton
de colle

Feutre
marqueur
noir

2 éponges
de bain

6 brochettes en
bois ou pailles
en plastique

Petits morceaux de
papier noir et blanc

Règle

1 Dessine la tête d'un lapin sur un morceau de bristol bleu (60 cm × 30 cm), puis découpe-la, ainsi que l'emplacement des yeux.

2 Dessine deux joues bien rondes sur les éponges de bain, puis découpe-les.

Pour peindre ton masque

Si tu veux te rapprocher des couleurs naturelles du lapin, il te faudra de la peinture noire, blanche et rouge, une palette pour les mélanger, un pot rempli d'eau et des pinceaux fin et moyen. Il vaut mieux peindre le masque avant de coller les joues, le nez et les dents. Pour trouver les couleurs adéquates, inspire-toi d'une reproduction trouvée dans un magazine. Pour commencer, mélange du noir et du blanc pour faire du gris pâle. Avec le pinceau moyen, peins le devant du masque sauf les oreilles. Ajoute un peu de noir au gris pour le foncer et trace de nombreuses lignes fines partant des joues, en éventail. Laisse sécher et, pendant ce temps, peins les oreilles en rose (obtenu en mélangeant du blanc et du rouge). Peins le bord des oreilles en gris. Quand tout est sec, termine le masque.

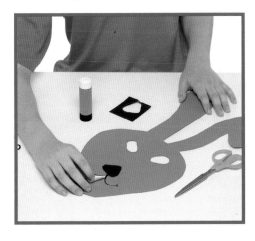

3 Dessine la bouche avec le feutre marqueur noir. Découpe le nez dans du papier noir et une paire de dents dans du papier blanc. Colle-les sur le masque.

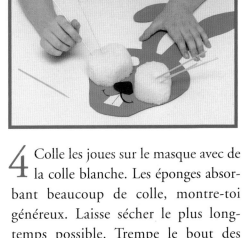

4 Colle les joues sur le masque avec de la colle blanche. Les éponges absorbant beaucoup de colle, montre-toi généreux. Laisse sécher le plus longtemps possible. Trempe le bout des brochettes en bois dans un peu de colle, puis insères-en trois dans chaque éponge, pour les moustaches. Demande à un adulte de les tailler un peu, si besoin. Assure-toi que les extrémités ne sont pas pointues.

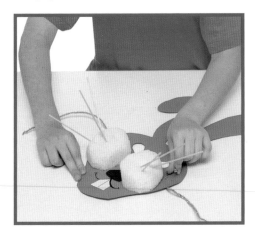

5 Perce un trou de chaque côté du masque et passe un cure-pipe dedans. Entortille les extrémités pour les maintenir en place. Pour porter le masque, enroule les cure-pipes autour de tes oreilles.

L'horrible sorcière

Métamorphose-toi en horrible sorcière pour Halloween. La transformation sera parfaite si tu portes une cape noire et si tu te déplaces avec un balai fait de branches.

Conseil pratique

Si tu ne trouves pas d'entonnoir en plastique pour le nez de la sorcière, fais un cône avec un morceau de bristol. Découpe un demi-cercle de 15 cm de diamètre. Replie-le en forme de cône. Fixe-le par du ruban adhésif. Pose le cône sur l'assiette et trace le contour de sa base. Dessine un cercle un peu plus petit à l'intérieur du premier. Découpe le petit cercle. Fais des petites entailles dans la base du cône. Replie les languettes ainsi formées et introduis le cône dans le trou. Colle les languettes sur l'envers de l'assiette.

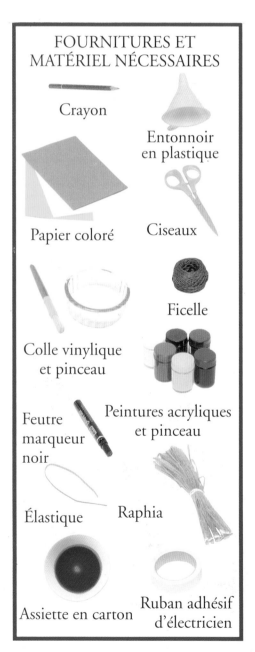

FOURNITURES ET MATÉRIEL NÉCESSAIRES

Crayon

Entonnoir en plastique

Papier coloré

Ciseaux

Ficelle

Colle vinylique et pinceau

Feutre marqueur noir

Peintures acryliques et pinceau

Élastique

Raphia

Assiette en carton

Ruban adhésif d'électricien

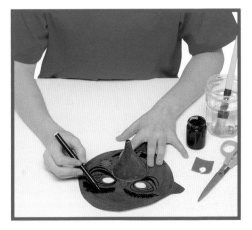

1 Dessine un visage sur l'assiette en carton et découpe-le. Perce des trous pour les yeux. Place l'entonnoir au centre, puis trace son contour au crayon. Coupe un grand cercle à l'intérieur de celui que tu viens de tracer. Colle l'entonnoir sur le cercle tracé avec de la colle blanche.

2 Peins le visage en vert. Mélange un peu de colle blanche à la peinture pour qu'elle adhère parfaitement à l'entonnoir. Colle un petit rond de papier rouge pour représenter une grosse verrue. Colorie les autres traits du visage à l'aide du feutre marqueur noir.

3 Défais l'écheveau de raphia et coupe de longs rubans pour les cheveux de la sorcière. Attache les rubans ensemble à une extrémité avec une ficelle. Fixe le tout sur l'envers de l'assiette avec du ruban adhésif d'électricien.

4 Perce un trou de chaque côté du masque. Passe l'élastique d'un côté et attache-le. Pose le masque sur ton visage et noue l'élastique de l'autre côté.

Cette horrible sorcière verte va sûrement épouvanter tes amis et ta famille. N'hésite surtout pas à jeter des sorts en ricanant et à secouer un pot rempli d'araignées et de grenouilles en plastique!

147

Les lunettes folles

Ces lunettes s'inspirent des modèles vendus dans les magasins de farces et attrapes. Elles te donneront un air tout à fait farfelu !

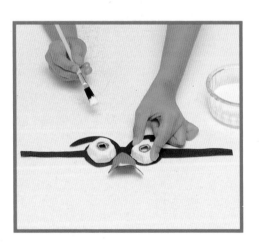

FOURNITURES ET MATÉRIEL NÉCESSAIRES

Adhésif de masquage

Peintures acryliques

Pinceaux

Colle vinylique

Crayon de couleur claire

Cure-pipe

Bristol noir

Ciseaux

Paire de lunettes

Boîte d'œufs

1 À l'aide du crayon de couleur claire, dessine la forme des lunettes sur le bristol noir en te guidant avec les vraies lunettes pour la taille et la forme autour du nez. Découpe la forme des lunettes.

2 Découpe deux compartiments d'une boîte d'œufs en carton pour fabriquer les yeux. Fais un trou au centre de chacun d'eux. Puis découpe un morceau de carton de la boîte pour confectionner le nez. Peins-les et laisse sécher.

3 Une fois secs, colle les yeux et le nez sur les lunettes en carton avec de la colle vinylique. Pendant qu'ils sèchent, relève le nez avec un crayon. Assure-toi que le nez est bien fixé, et s'il le faut utilise de l'adhésif de masquage. Peins deux cure-pipes en noir et laisse-les sécher.

Pour terminer, applique de la colle vinylique sur l'extrémité des branches de tes lunettes. Enroule plusieurs fois un cure-pipe noir autour de chaque extrémité et laisse sécher. Replie les cure-pipes autour de tes oreilles pour tenir les lunettes en place.

Le poisson-lunettes

Presque tout peut servir à fabriquer des masques! Avec des lunettes de natation, fais un poisson nageant au milieu des algues.

FOURNITURES ET MATÉRIEL NÉCESSAIRES

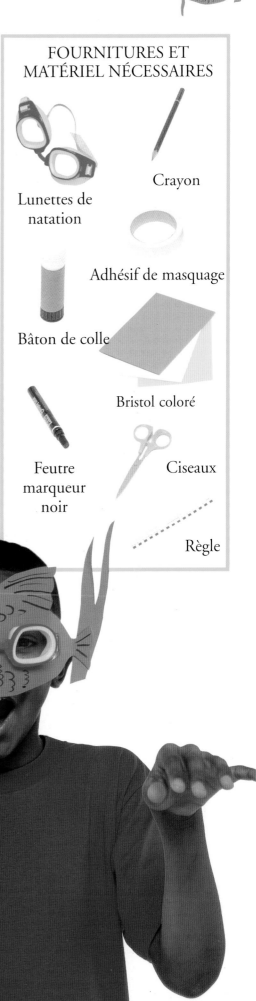

Lunettes de natation

Crayon

Adhésif de masquage

Bâton de colle

Bristol coloré

Feutre marqueur noir

Ciseaux

Règle

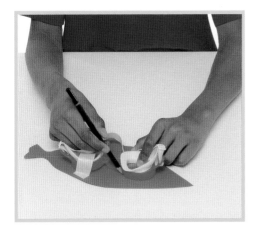

1 Dessine un poisson de 25 cm × 10 cm sur le bristol et découpe-le. Pose les lunettes sur le poisson, maintiens-les en place avec l'adhésif de masquage et dessine les contours. Découpe aussi des algues et un petit rond pour l'œil du poisson dans du bristol d'une autre couleur.

2 Découpe les trous pour les yeux. Fais deux petites fentes de chaque côté pour passer la courroie des lunettes. Retire la courroie des lunettes. Enfonce les lunettes dans les orifices, puis fais passer la courroie par les fentes des lunettes et du masque.

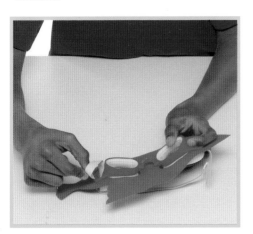

Décore le poisson en collant l'œil et les algues à l'aide du bâton de colle. Dessine les écailles et les nageoires au feutre marqueur noir.

3 Si elles n'y entrent pas, agrandis légèrement les orifices. Remets la courroie des lunettes en la passant à travers les fentes des lunettes et celles du masque.

Le loup et l'agneau

Ce masque peut se transformer d'un animal en un autre. Il est originaire de la côte nord-ouest de l'Amérique et raconte l'histoire d'un malheureux mouton dévoré par un loup.

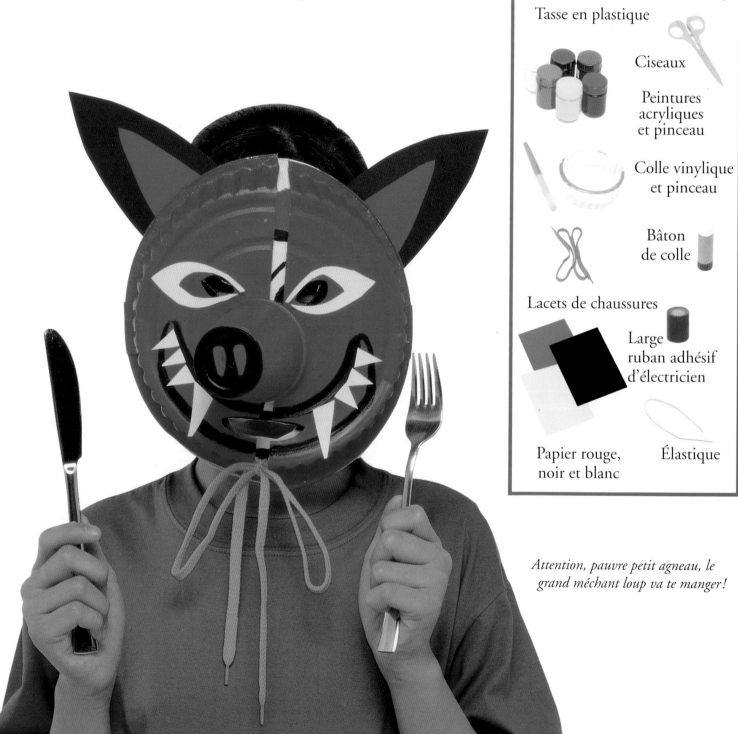

FOURNITURES ET MATÉRIEL NÉCESSAIRES

Deux moules en aluminium

Feutre marqueur noir

Tasse en plastique

Ciseaux

Peintures acryliques et pinceau

Colle vinylique et pinceau

Bâton de colle

Lacets de chaussures

Large ruban adhésif d'électricien

Papier rouge, noir et blanc

Élastique

Attention, pauvre petit agneau, le grand méchant loup va te manger !

1 Pose les deux moules à tarte l'un sur l'autre. À l'aide du marqueur noir, délimite les contours de la tasse au centre des moules. Retire la tasse et sépare les moules.

2 Découpe un trou pour le nez au milieu du cercle. Puis perce les trous pour les yeux et la bouche. Prends le moule sur lequel est dessiné le cercle et fais une entaille partant du bord jusqu'au centre, entre les deux yeux.

3 Colle la tasse en plastique sur l'une des deux moitiés de moule, à l'emplacement du trait au feutre noir, avec de la colle blanche. Laisse sécher.

5 Fixe le masque de loup au masque d'agneau avec quatre morceaux d'adhésif large. Ferme les masques de façon que le loup soit visible. Colle des charnières d'adhésif sur l'extérieur du masque. Toujours avec de l'adhésif, fixe un lacet sur le bord central de chaque moitié de masque de loup et noue-les en nœud papillon. Perce un petit trou de chaque côté du masque complet pour y passer l'élastique et n'attache les deux côtés qu'après avoir essayé le masque.

4 Peins le moule sur lequel est collée la tasse en plastique pour qu'il ressemble à un loup. Sur l'autre moule, dessine un agneau. Mélange de la colle blanche à la peinture pour qu'elle adhère mieux. Découpe deux oreilles de loup dans du carton noir, puis colle dessus deux triangles de papier rouge avec un bâton de colle. Colle les oreilles du loup sur le masque avec la colle blanche. Laisse les masques sécher.

Pour faire apparaître le masque du petit agneau, dénoue le lacet de devant. Le ruban adhésif bleu indique l'emplacement du lacet et des charnières.

Coco le clown

Si tu aimes le cirque, tu vas adorer ce drôle de masque. Les cheveux du clown sont faits avec des éponges à récurer métalliques.

Conseil pratique

Pour les cheveux de Coco, tu peux prendre des éponges métalliques en cuivre ou en inox, ou bien des éponges en plastique de couleurs vives, jaune, vert, violet, rouge ou bleu que tu trouves dans les supermarchés. Pour faire des cheveux encore plus fous, prends des éponges de différentes couleurs.

FOURNITURES ET MATÉRIEL NÉCESSAIRES

2 assiettes en carton

Crayon

Ciseaux

Colle vinylique et pinceau

Raphia

Peintures acryliques et pinceau

Ruban adhésif d'électricien

6 attaches parisiennes

6 éponges métalliques

Élastique

Petit couvercle en plastique

1 Tiens une des assiettes en carton devant ton visage et demande à un adulte de marquer les trous des yeux. Découpe-les et peins le visage du clown sur l'envers. Laisse sécher.

2 Dessine un chapeau triangulaire et un nœud papillon sur l'autre assiette en carton, puis découpe-les. Décore le chapeau avec des bandes de ruban adhésif de différentes couleurs et une plume en raphia.

3 Pour faire le nez, prends le couvercle en plastique d'un petit flacon. Mélange un peu de colle vinylique à de la peinture rouge et peins le nez. Une fois sec, colle-le sur le visage du clown. Colle également le chapeau et le nœud papillon. Laisse sécher.

4 Passe une attache parisienne à travers une éponge métallique et fixe-la près du bord de l'assiette en la glissant à travers et en écartant ses deux branches. Fais de même avec les autres éponges. Fais un petit trou de chaque côté du masque. Noue l'élastique d'un côté, essaye le masque et noue-le de l'autre côté.

Costume de clown

Pour faire rapidement un costume de clown, fixe des éponges en plastique sur un tee-shirt et sur le dessus de tes chaussures. Tu peux aussi les recouvrir de ruban adhésif d'électricien en dessinant des rayures, des carreaux ou d'autres motifs.

L'esprit de la brousse

Ce masque est inspiré de ceux de la Papouasie, Nouvelle-Guinée. Ils sont portés lors de cérémonies en l'honneur des esprits de la brousse, ou kovaves. En voici une version très simple en carton et en tissu. Les franges retombant du masque doivent recouvrir les épaules de celui qui le porte.

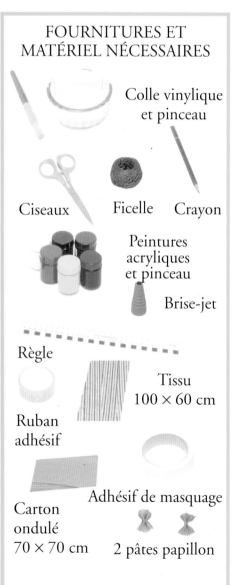

FOURNITURES ET MATÉRIEL NÉCESSAIRES

Colle vinylique et pinceau

Ciseaux   Ficelle   Crayon

Peintures acryliques et pinceau

Brise-jet

Règle

Tissu 100 × 60 cm

Ruban adhésif

Adhésif de masquage

Carton ondulé 70 × 70 cm   2 pâtes papillon

Drape les bandes de tissu sur tes épaules et de chaque côté de ton visage. Tu peux maintenant sautiller et pousser des petits cris comme un oiseau.

1 Ajuste le carton ondulé sur ta tête et maintiens-le avec de l'adhésif de masquage. La partie ondulée du carton doit être sur le dessus.

2 Colle le carton à la jonction, laisse sécher et retire l'adhésif. Peins le brise-jet en brun, en ajoutant un peu de colle vinylique à la peinture pour qu'elle tienne. Sur le carton, peins des bandes brunes intercalées de blanc.

3 Quand la peinture est sèche, colle le brise-jet sur le carton pour faire le bec de l'oiseau. Sois généreux en colle et ne t'inquiète pas si elle déborde, elle devient invisible en séchant. Colle les pâtes papillon pour faire les yeux. Laisse bien sécher.

4 Pour la frange, coupe le tissu en bandes de 2 cm de large. Fixe l'une des extrémités sur un morceau de ruban adhésif de 70 cm, en les superposant légèrement. Colle la frange autour du bord inférieur du masque.

5 Fais un petit trou de chaque côté dans le bas du masque. Noue une ficelle à chaque trou et attache-la sous le menton.

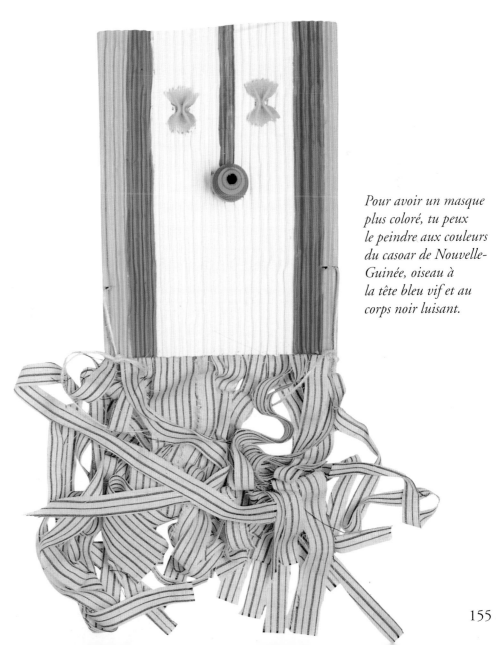

Pour avoir un masque plus coloré, tu peux le peindre aux couleurs du casoar de Nouvelle-Guinée, oiseau à la tête bleu vif et au corps noir luisant.

155

L'oiseau au long bec

Ce masque a un bec qui s'ouvre et se ferme. Il s'inspire d'un masque de cérémonie originaire du nord-ouest de l'Amérique.

Papier mâché

Pour faire du papier mâché, colle des petits carrés ou des bandes de papier journal sur un modèle, pour le renforcer ou le transformer. Mélange dans un bol de la colle vinylique et de l'eau en quantités égales. Trempe les morceaux de journal dans la colle et place-les sur le modèle en les lissant, pour le recouvrir complètement. Laisse sécher avant d'appliquer une seconde couche de papier mâché.

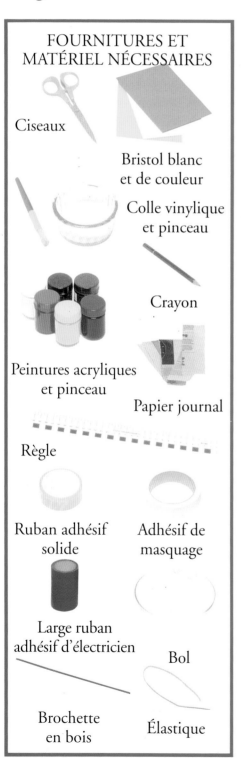

FOURNITURES ET MATÉRIEL NÉCESSAIRES

Ciseaux

Bristol blanc et de couleur

Colle vinylique et pinceau

Crayon

Peintures acryliques et pinceau

Papier journal

Règle

Ruban adhésif solide

Adhésif de masquage

Large ruban adhésif d'électricien

Bol

Brochette en bois

Élastique

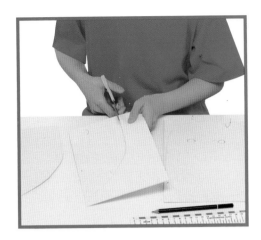

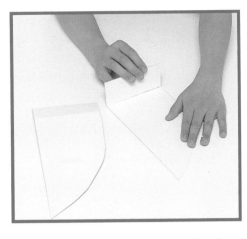

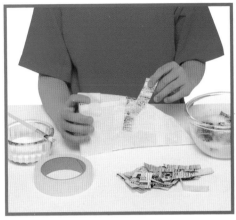

1 Dessine sur du bristol un losange de 30 cm × 10 cm pour la tête, deux triangles de 15 cm × 3 cm pour la partie supérieure du bec et deux rectangles de 15 cm × 8 cm pour la partie inférieure. Découpe le tout.

2 Pour faire le bec, recoupe les deux rectangles (du bec inférieur) selon la forme indiquée ci-dessus. Marque un pli avec les ciseaux sur le côté court des quatre parties du bec et plie chaque partie pour former une languette.

3 Assemble avec l'adhésif de masquage les côtés incurvés du bec inférieur. Colle avec du ruban adhésif les longs côtés de l'un des triangles du bec supérieur aux longs côtés du bec inférieur. Replie les languettes vers l'intérieur et fixe-les avec du ruban adhésif au-dessus du trou. La forme doit ressembler à une proue de bateau. Recouvre le bec de papier mâché. Après séchage, fixe la brochette en bois sur le devant du bec. Pose deux autres couches de papier mâché.

4 Colle la languette du second triangle du bec supérieur sur la tête. Lorsque la colle est sèche, peins la tête et le bec.

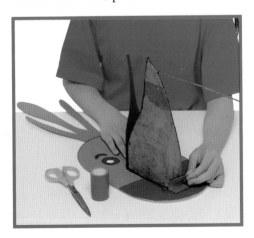

5 Coupe une plume en bristol et colle-la sur l'envers du masque. Articule le bas du bec inférieur sur le masque avec du ruban adhésif d'électricien.

Pour terminer, fais un petit trou de chaque côté du masque. Attache un élastique dans chaque trou. Noue-les derrière ta tête et fais bouger le bec inférieur en actionnant la brochette en bois.

157

La maison qui parle

Tous les masques ne représentent pas des animaux ou des êtres humains. On peut aussi imaginer une maison qui parle ou une théière qui danse !

Conseil pratique

Pour que l'illusion soit vraiment complète, confectionne-toi un costume en harmonie avec ta maison. Si tu portes un tee-shirt à fleurs, un pantalon et un pull en laine vert, on aura l'impression d'une maison perchée sur une colline !

FOURNITURES ET MATÉRIEL NÉCESSAIRES

Crayon

Bristol

Règle

Ciseaux

Peintures acryliques et pinceau

Colle vinylique et pinceau

Coton hydrophile

Ruban

Avec tes amis, portez chacun le masque d'une maison qui parle, la rue tout entière se mettra à discuter !

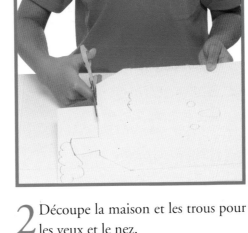

1 Dessine sur un morceau de bristol une maison de 25 cm × 30 cm. Ajoute deux trous pour les yeux et un pour le nez.

2 Découpe la maison et les trous pour les yeux et le nez.

3 Peins la maison en rouge. Lorsqu'elle est sèche, peins les briques en jaune et les autres détails en noir.

Ajoute toutes sortes de détails à ta maison. Tu peux même en faire une qui ressemble à la tienne !

4 Pour représenter la fumée qui sort de la cheminée, colle un morceau de coton. Peins-le par touches avec de la peinture grise. Tu peux ajouter un arbre en coton devant la maison et le peindre en vert.

5 Fais deux trous dans le masque, un de chaque côté. Passe le ruban par les orifices depuis l'arrière du masque.

Le crocodile à pois

On peut fabriquer quantité de masques
en utilisant des objets usuels de la maison.
Avec ce masque de crocodile, c'est le bac
à glaçons qui connaît un usage original !

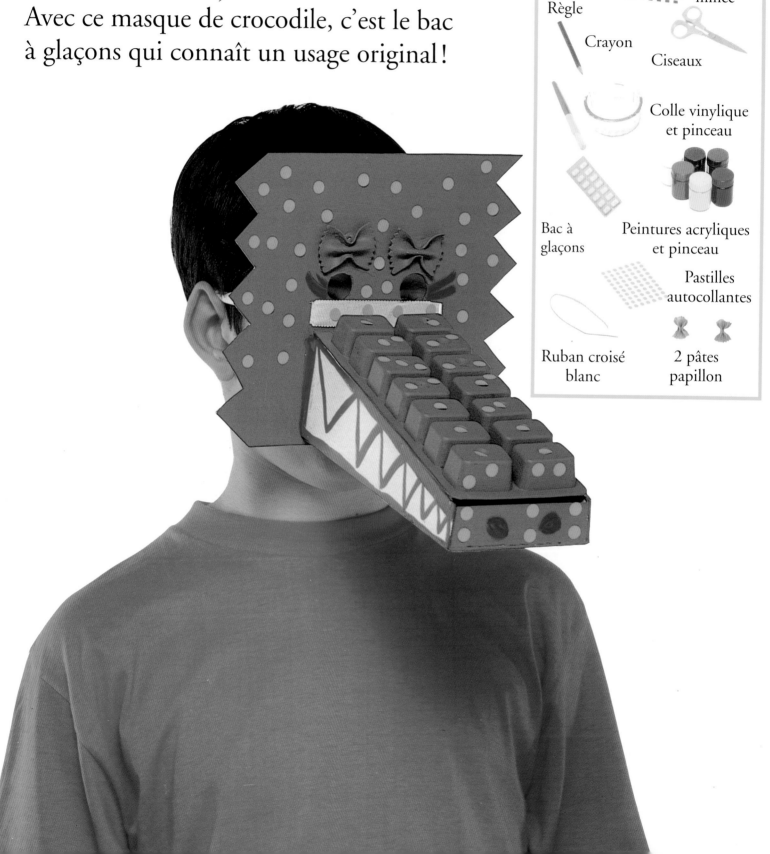

FOURNITURES ET MATÉRIEL NÉCESSAIRES

Adhésif de masquage

Bristol mince

Règle

Crayon

Ciseaux

Colle vinylique et pinceau

Bac à glaçons

Peintures acryliques et pinceau

Pastilles autocollantes

Ruban croisé blanc

2 pâtes papillon

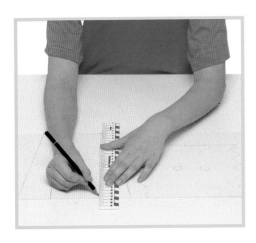

1 Trace un carré de 20 cm sur du bristol. Dessine les trous des yeux et un zigzag sur deux côtés. Fais deux calques du bac à glaçons sur du bristol. Ajoute de chaque côté des languettes de la hauteur du bac. Sur un calque, fais les languettes des longs côtés plus larges à une extrémité.

2 Découpe les contours et les yeux. Marque aux ciseaux toutes les lignes de ses mâchoires en repliant et en collant les languettes ensemble pour la mâchoire inférieure. Après séchage, colle le bac à glaçons sur le dessus des mâchoires. Maintiens-le en place avec de l'adhésif de masquage pendant que la colle sèche.

3 Colle la mâchoire sur la tête. Fais deux fentes juste au-dessus comme indiqué. Colle les pâtes papillon au-dessus des yeux. Peins la tête et le haut de la mâchoire en bleu. Peins les côtés en blanc et les dents en rouge. Après séchage, colle les pastilles autocollantes.

4 Fais passer le ruban en tissu blanc par les fentes. Décore le ruban avec des pastilles autocollantes sur le devant, puis attache-le derrière ta tête.

D'autres têtes

Tu peux transposer cette méthode pour des chevaux, des girafes ou des chiens. Il suffit de faire des rectangles plus courts et des côtés plus larges dans le bac à glaçons. Tu peux ajouter des oreilles et des cornes en les découpant dans du bristol et en les collant sur la tête. Tu n'as plus qu'à peindre et à décorer ton masque !

Pour que ton masque de crocodile paraisse encore plus réaliste, cherche une photographie dans un livre et recopie les couleurs. Si un de tes amis fait un masque identique, vous pourrez vous mordre l'un l'autre !

Le géant espagnol

Ce masque se porte sur la tête. Généralement, du tissu tombant du masque cache le visage de celui qui le porte. Ces masques, fabriqués en Espagne lors de nombreux carnavals, peuvent être deux à trois fois plus grands qu'une personne.

Conseil pratique

Au moment de peindre le visage, assure-toi que le dessin de la bouche ne t'empêchera pas d'égaliser la base du masque. Pour plus de sécurité, tu peux ajuster le masque avant de le peindre. Utilise des ciseaux pour couper le masque et fais appel à un adulte si c'est trop difficile.

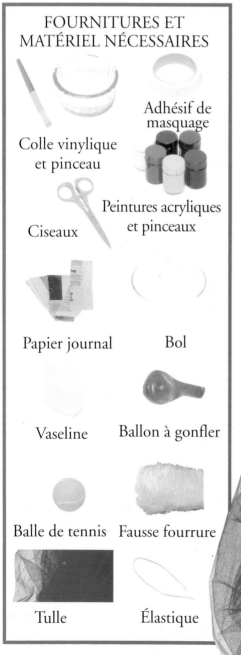

FOURNITURES ET MATÉRIEL NÉCESSAIRES

Colle vinylique et pinceau

Adhésif de masquage

Ciseaux

Peintures acryliques et pinceaux

Papier journal

Bol

Vaseline

Ballon à gonfler

Balle de tennis

Fausse fourrure

Tulle

Élastique

1 Gonfle le ballon et noue-le. Enduis-le de vaseline. Prépare du papier mâché en mélangeant de la colle vinylique et de l'eau en quantités égales et en collant des bandes de papier journal sur tout le ballon. Pose trois couches.

2 Laisse sécher dans un endroit chaud. Quand le papier mâché est dur, dégonfle le ballon en coupant le haut. Retire le ballon de la coquille en papier mâché et jette-le.

3 Demande à un adulte de t'aider à couper une balle de tennis en deux. Colle les moitiés sur la tête en papier mâché pour fabriquer les yeux. Montre-toi généreux avec la colle et maintiens-les avec de l'adhésif de masquage.

Crée une tête

Tu peux imaginer d'autres géants. Représente un monstre, un clown rigolo ou un extraterrestre, ou bien fais ton autoportrait.

4 Peins le masque avec un gros pinceau pour la couche de base et un pinceau fin pour les détails. Certaines zones nécessitent deux couches. Laisse sécher.

5 Égalise le bord du masque avec des ciseaux afin qu'il tienne bien sur ta tête. Perce un trou de chaque côté et attache un élastique sur l'un des côtés. Demande à un(e) ami(e) de maintenir le masque sur ta tête, fais passer l'élastique sous ton menton et noue-le à l'autre trou.

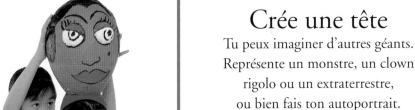

6 Fixe avec du ruban adhésif 2 m de tulle à la base du masque. Colle une bande de fourrure pour fabriquer un col.

Peinture du visage et du corps

Thomasina Smith

Introduction

Depuis des milliers d'années, l'homme se peint le visage et le corps. Aux temps préhistoriques, les hommes de la tribu se camouflaient ainsi avant d'aller chasser. Dans d'autres sociétés, la peinture faisait partie intégrante des cérémonies religieuses et des coutumes ancestrales.

Dans notre société moderne, la peinture du visage ou du corps est essentiellement devenue un jeu réservé à certaines occasions, fête costumée, représentation théâtrale à l'école ou défilé de carnaval. Le maquillage peut également être considéré comme une forme de peinture de visage.

Change de personnalité

La peinture du visage peut te métamorphoser complètement. Avec un maquillage adapté au visage, des éponges et des pinceaux, deviens un léopard tacheté, un dalmatien, une star disco ou un extraterrestre aux yeux multiples.

Peinture du corps

Pourquoi t'arrêter au visage? Tu peux également te peindre le corps et les membres avec les mêmes matériaux. Tes mains se transformeront en cerf, en espèce rare de pieuvre, en petit diable ou en champion de football. Comme tu vas le constater, il est très facile de créer tout un tas de personnages et tu pourras te métamorphoser à volonté.

La seule différence entre la peinture du visage et celle du corps est que la seconde prend plus de temps. Sois patient et essaye de ne pas rire si le pinceau te chatouille.

Quand tes amis verront ton maquillage de dalmatien, ils voudront tous avoir le même!

Demande de l'aide

Il est très difficile de se peindre soi-même. Il vaut mieux demander à un(e) ami(e) ou à un adulte très patient de t'aider. Tu peux aussi proposer à ton ami de le peindre à son tour.

Avant de sortir les peintures et les pinceaux, lis les instructions concernant les techniques de base (pages 168-169) qui te montreront comment obtenir des effets surprenants et un fini professionnel.

Tu peux peindre une seule main ou tout le corps. Ce drôle de mollusque est la pieuvre pentapode qui n'a que cinq tentacules.

La peinture argentée permet de donner au visage du super robot une magnifique finition métallisée.

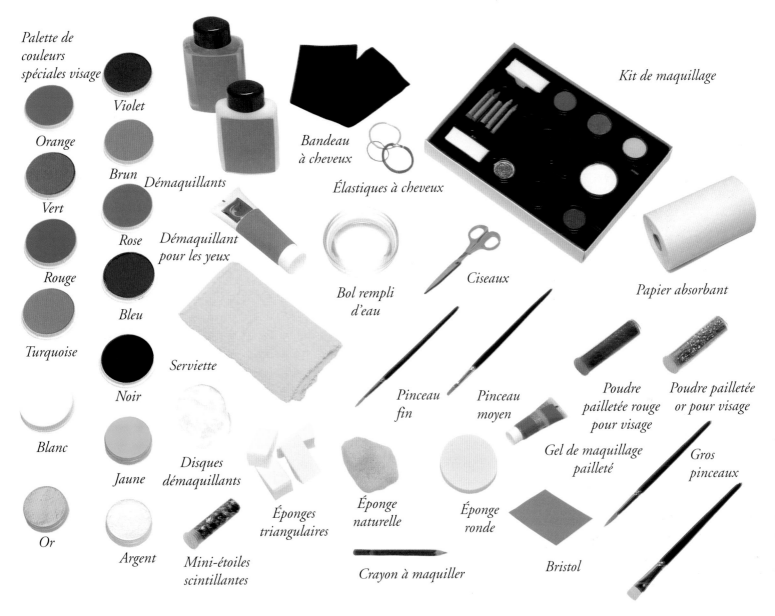

Palette de couleurs spéciales visage

Violet

Orange

Brun

Vert

Rose

Rouge

Bleu

Turquoise

Noir

Blanc

Jaune

Or

Argent

Démaquillants

Démaquillant pour les yeux

Bandeau à cheveux

Élastiques à cheveux

Serviette

Disques démaquillants

Éponges triangulaires

Mini-étoiles scintillantes

Bol rempli d'eau

Ciseaux

Pinceau fin

Pinceau moyen

Éponge naturelle

Éponge ronde

Crayon à maquiller

Kit de maquillage

Papier absorbant

Poudre pailletée rouge pour visage

Poudre pailletée or pour visage

Gel de maquillage pailleté

Gros pinceaux

Bristol

Fournitures et matériel

▲ **Pinceaux.** Tu peux acheter des pinceaux spéciaux à maquillage mais les pinceaux pour aquarelle de bonne qualité conviennent aussi. Il te faut trois pinceaux pour réaliser les maquillages de ce livre, un fin, un moyen et un gros.

▲ **Poudre pailletée pour visage.** Créée spécialement pour le visage. Tu la trouveras dans les boutiques spécialisées.

▲ **Peintures spéciales pour visage.** Elles existent en kits ou en palettes. Achète des peintures de professionnels, elles sont faciles à utiliser, assurent une bonne finition et durent longtemps.

▲ **Serviette et papier absorbant.** Tu t'en serviras pour essuyer la peinture en excès sur ton visage.

▲ **Gel de maquillage pailleté.** Gel de maquillage transparent qui contient de la couleur pailletée.

▲ **Crèmes et lotions démaquillantes.** Pour retirer la peinture sans que cela pique. Demande toujours à un adulte avant d'utiliser ce genre de produit.

▲ **Éponge naturelle.** Tu peux acheter une éponge naturelle bon marché à la pharmacie ou au supermarché. Sa texture permet d'obtenir un effet nuageux.

▲ **Éponge ronde.** Cette éponge ronde et douce sert à appliquer la peinture de base.

▲ **Mini-étoiles scintillantes.** Faites pour le visage. Elles s'achètent en tube dans les magasins spécialisés pour le théâtre. Tu peux les coller avec de la colle spéciale visage.

▲ **Éponges triangulaires.** Ce sont des éponges à maquillage classiques. Il vaut mieux en posséder deux ou trois pour ne pas avoir à les laver à chaque fois que tu changes de couleur.

Techniques de base

Avant de commencer, protège tes vêtements avec un vieux tee-shirt ou une serviette. Celui ou celle qui te maquille a intérêt à se protéger également. Recouvre la surface de travail de papier absorbant et étale ton matériel. Tu dois toujours avoir un bol rempli d'eau à portée de main. Trempe pinceaux et éponges dans l'eau pour les humidifier avant de les charger de peinture et lave-les toujours avant de changer de couleur. Quand l'eau est sale, remplace-la.

Comment appliquer la couleur de base

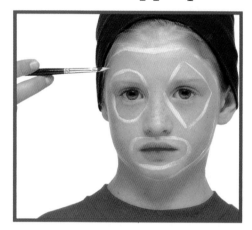

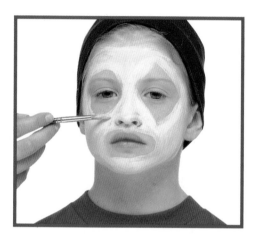

1 Avec le gros pinceau ou le moyen, trace un cercle autour du visage, de la bouche et des yeux. Utilise pour cela la couleur de base. Les instructions te préciseront la couleur que tu dois employer.

2 Humidifie une éponge ronde ou triangulaire. Passe légèrement l'éponge sur la palette pour la charger de peinture. Peins le visage à l'intérieur du cercle avec la peinture de base.

3 Retrace les contours au pinceau pour les rendre plus nets. Égalise la peinture à l'éponge. Une seconde couche de base sera parfois nécessaire pour parfaire le travail. Laisse sécher entre les couches.

Comment appliquer une base en deux couleurs

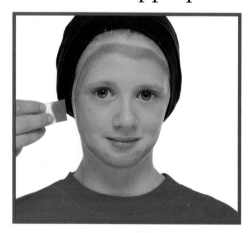

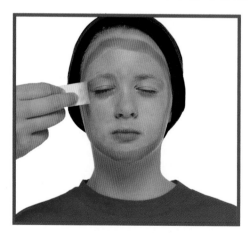

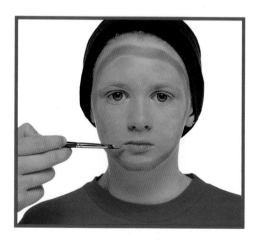

1 Souligne le visage avec une éponge triangulaire ou ronde pliée en deux. Les instructions t'indiqueront la couleur à utiliser.

2 Applique la seconde couleur à l'intérieur de la ligne avec une éponge propre. Atténue le raccord avec une éponge humide.

3 Souligne ensuite les bords avec un pinceau fin ou moyen avec lequel tu rempliras également les « blancs » restés autour du nez, des yeux et de la bouche.

Peinture du corps

La technique est la même que pour le visage.

Avant de commencer à peindre, mets les vêtements que tu veux porter ensuite, car tu risques de les salir en les enfilant par-dessus la peinture. Protège-les avec un vieux tee-shirt ou une serviette. Recouvre toujours la surface de travail ou le sol avec du papier absorbant ou des torchons.

Rappelle-toi que la peinture ne tient pas très bien et que tu risques d'en mettre sur les meubles, les vêtements et tout ce que tu touches.

Pour retirer le maquillage

Les peintures pour visage et corps se lavent facilement à l'eau tiède et au savon, en frottant légèrement.

Le gel de maquillage et la peinture pailletée se retirent avec de la crème et une lotion démaquillantes appliquées sur un coton à démaquiller. Prends un démaquillant spécial yeux pour nettoyer la peau délicate autour de l'œil.

Demande toujours à un adulte de vérifier ton démaquillant, lotion ou crème.

Attention !

🖐 Achète des peintures pour visage de bonne qualité. Elles sont un peu plus chères mais plus faciles à appliquer et elles irritent moins la peau. Certaines peintures sont spéciales peaux sensibles.

🖐 Quand tu as terminé ton maquillage, rince la palette à l'eau courante. Essuie les bords avec du papier absorbant avant de replacer le couvercle.

🖐 Si tu entretiens bien ta palette, tes peintures resteront propres et prêtes à l'emploi.

Étale une lavette. Applique la peinture avec une éponge humide.

Laisse toujours la peinture sécher avant d'appliquer la seconde couleur.

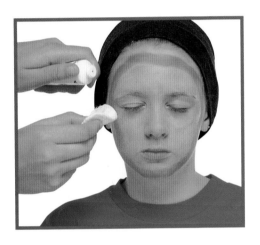

Quand on retire la peinture autour des yeux, ferme-les.

Essuie ton visage et retire toutes les traces de peinture avec une serviette.

N'utilise jamais de peintures pour activités manuelles, de stylos-feutres, crayons cire, colles à maquette ou autres articles de papeterie qui t'irriteraient la peau.

Fais attention à ne pas toucher la peinture fraîche par accident, elle coulerait. Même sèche, la peinture s'étale si tu la frottes.

Le monde de la mer

Aimerais-tu représenter le monde sous-marin
pour une fête costumée ? Rien de plus facile !
Le crabe autour de ta bouche bougera
à chaque fois que tu souriras ou que tu
parleras, et quand tu baisseras la paupière
le poisson se mettra à nager.

Conseil pratique

Il vaut mieux mettre une vieille
serviette autour de tes épaules et
de ton cou pendant le maquillage.
Elle protégera tes vêtements et
permettra à la personne qui te
maquille de s'essuyer les mains.
Ne prends pas une belle serviette,
certaines peintures laissent
des traces tenaces.

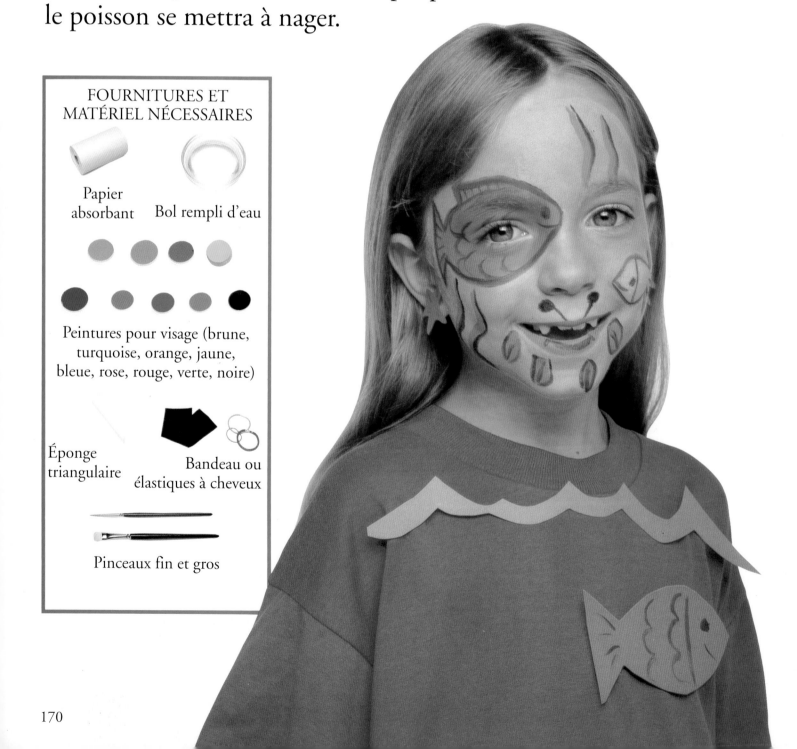

FOURNITURES ET MATÉRIEL NÉCESSAIRES

Papier absorbant

Bol rempli d'eau

Peintures pour visage (brune,
turquoise, orange, jaune,
bleue, rose, rouge, verte, noire)

Éponge triangulaire

Bandeau ou élastiques à cheveux

Pinceaux fin et gros

1 Noue tes cheveux en arrière (si besoin). Dessine au pinceau fin, en brun, un poisson autour d'un œil et un autre sur une joue. Peins un cercle turquoise autour du visage et remplis-le à l'aide de l'éponge.

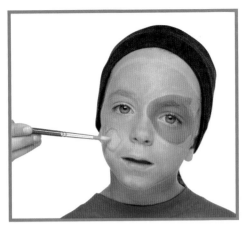

2 Quand la peinture turquoise est sèche, peins un poisson en orange vif avec le gros pinceau et un autre en jaune. Laisse sécher.

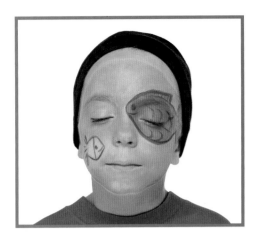

3 Peins en bleu, au pinceau fin, les yeux, la bouche, les écailles et les nageoires des poissons. Reste absolument immobile, le travail de l'artiste est difficile !

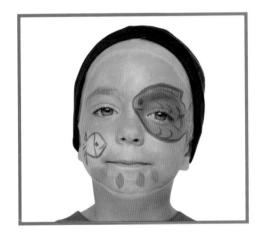

4 Étire les lèvres en un sourire pour qu'on te les peigne en rose. Avec le pinceau fin, peins quatre pinces de crabe roses juste au-dessous de la lèvre inférieure.

5 Avec un pinceau fin propre et de la peinture bleue, souligne et décore les pinces. Peins la tête du crabe sur la lèvre inférieure et ses yeux en rouge.

6 Dessine des algues vertes sur ton front avec le pinceau fin. Souligne les contours avec de la peinture noire.

Un déguisement assorti

Pour faire un costume assorti à ton maquillage, il te faut tout simplement un tee-shirt et un jogging bleus, du bristol, des stylos-feutres, des ciseaux, de l'adhésif double face et de l'imagination.

Dessine des créatures sous-marines au stylo-feutre sur le bristol, poissons ou algues. Ces créatures peuvent être de toutes tailles, tant qu'elles rentrent sur le tee-shirt. Découpe-les. Colle de l'adhésif double face sur l'envers des formes. Retire le papier de protection et colle les formes sur ton tee-shirt.

Voici quelques idées pour commencer : poissons tropicaux aux longues nageoires, dauphins joueurs, coraux, coquillages et algues et, pourquoi pas, le coffre au trésor du pirate. Quand la fête costumée est terminée, retire simplement les morceaux de bristol de ton tee-shirt.

Le super robot

Ce robot possède des pouvoirs surnaturels. Ses yeux radars peuvent détecter les avions ennemis. Son casque métallique réfléchissant le protège pendant les batailles intergalactiques. Pour faire le casque, recouvre une grande boîte de céréales vide de papier d'aluminium.

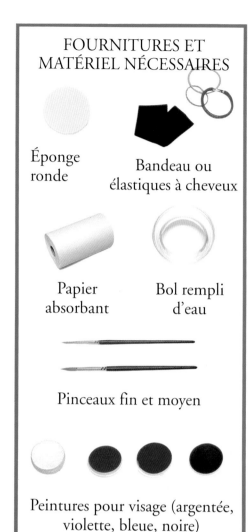

FOURNITURES ET
MATÉRIEL NÉCESSAIRES

Éponge ronde

Bandeau ou élastiques à cheveux

Papier absorbant

Bol rempli d'eau

Pinceaux fin et moyen

Peintures pour visage (argentée, violette, bleue, noire)

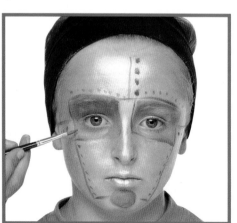

1 Noue tes cheveux en arrière (si besoin). Ferme les yeux et la bouche pendant qu'on te recouvre le visage avec la peinture argentée et l'éponge ronde. Applique deux couches. Laisse sécher.

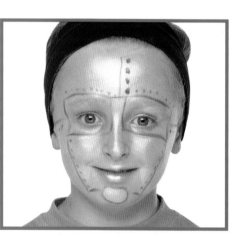

2 Peins des lignes violettes comme indiqué. Fais des pois violets le long des lignes avec la pointe du pinceau fin.

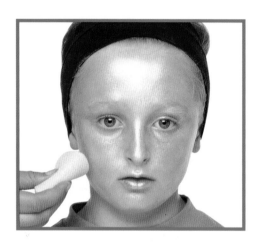

3 Avec le pinceau moyen, peins un cercle bleu sous la bouche, puis remplis l'intérieur autour des yeux avec de la peinture bleue.

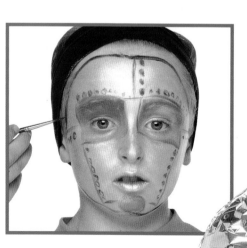

4 Lave le pinceau fin et souligne en noir le tour du visage. Ajoute d'autres détails.

Le pirate

Bienvenue à bord ! Te voici sur le bateau
de l'un des plus terribles pirates
des mers du Sud avec tout son attirail :
le bandeau noir, la moustache et
la barbiche en pointe, le tatouage,
la tête de mort et la boucle d'oreille.

FOURNITURES ET MATÉRIEL NÉCESSAIRES

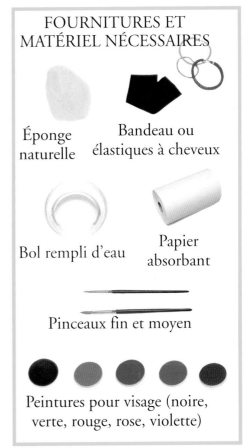

Éponge naturelle

Bandeau ou élastiques à cheveux

Bol rempli d'eau

Papier absorbant

Pinceaux fin et moyen

Peintures pour visage (noire, verte, rouge, rose, violette)

Le costume de pirate est facile à réaliser. Il suffit de porter un tee-shirt uni ou rayé, un pantalon très large, une épée, une corde et un foulard.

1 Noue tes cheveux en arrière (si besoin). Avec le pinceau fin, peins la moustache en noir. Pars du milieu de la lèvre vers l'extérieur. Reste bien immobile pendant que tu te maquilles.

2 Peins le contour du bandeau avec le pinceau fin. Ferme l'œil et remplis l'intérieur en noir. Dessine un sourcil broussailleux. Passe ensuite les deux lanières du bandeau en vert.

3 Peins la tête de mort et les tibias en rouge avec le pinceau fin, et la barbiche en noir avec le pinceau moyen.

4 Tamponne ton nez avec de la peinture rose et l'éponge naturelle. Ajoute de la peinture violette par-dessus le rose.

La sorcière de Halloween

Les sorcières font partie de la tradition d'Halloween. Cette horrible sorcière verte a peut-être mangé quelqu'un ! Avec ses rides et ses verrues poilues, elle a un air vraiment terrible. Pour être encore plus convaincante, n'oublie pas d'ajouter des araignées et un balai.

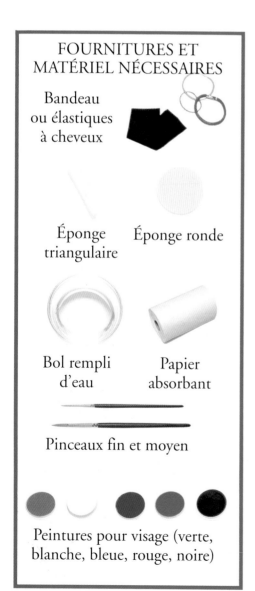

FOURNITURES ET MATÉRIEL NÉCESSAIRES

Bandeau ou élastiques à cheveux

Éponge triangulaire   Éponge ronde

Bol rempli d'eau   Papier absorbant

Pinceaux fin et moyen

Peintures pour visage (verte, blanche, bleue, rouge, noire)

La sorcière de Halloween porte un tee-shirt noir recouvert de fils de raphia violet. Des araignées en plastique sont accrochées à ses vêtements et à ses cheveux.

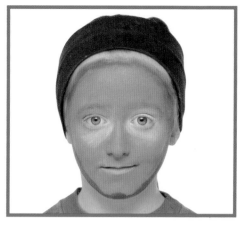

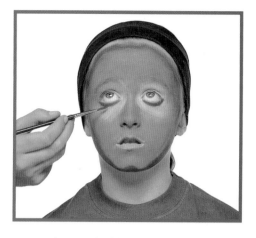

1 Noue tes cheveux en arrière (si besoin). Avec l'éponge triangulaire, souligne le contour du visage en violet. Remplis l'intérieur de peinture verte avec l'éponge ronde et estompe les couleurs.

2 Avant que la peinture sèche, entoure de blanc le dessous et le dessus des yeux avec le pinceau moyen. Tamponne aussitôt avec l'éponge ronde pour fondre les deux couleurs.

3 Mélange du blanc et du bleu pour faire du bleu clair. Peins la lèvre inférieure en bleu avec le pinceau moyen. Lève les yeux et reste immobile pendant qu'on trace une ligne rouge sous ta paupière inférieure.

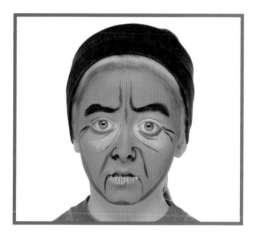

4 Dessine des sourcils broussailleux et des rides ; n'oublie pas d'en faire sur les lèvres.

5 Peins des ronds rouges sur le front et sur le menton avec le pinceau fin. Lave le pinceau et entoure ces ronds de noir. Toujours avec le pinceau fin, peins des poils noirs sortant des verrues.

Attache ensemble quelques petites branches sèches pour faire un balai, le moyen de transport préféré des sorcières.

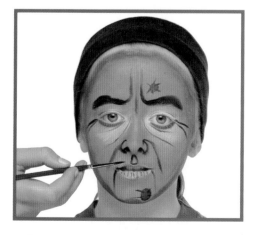

6 Avec le pinceau fin et la peinture noire, accentue les lignes sous le nez et ajoute quelques rides.

Le petit dalmatien

Comment ne pas craquer devant ce jeune chiot dalmatien ? Ce maquillage est facile à faire et un débutant peut le réussir sans problème.

Si le petit dalmatien va à une fête costumée, il devra bien se tenir, ne pas sauter sur les meubles ni mordiller tout ce qu'il trouve !

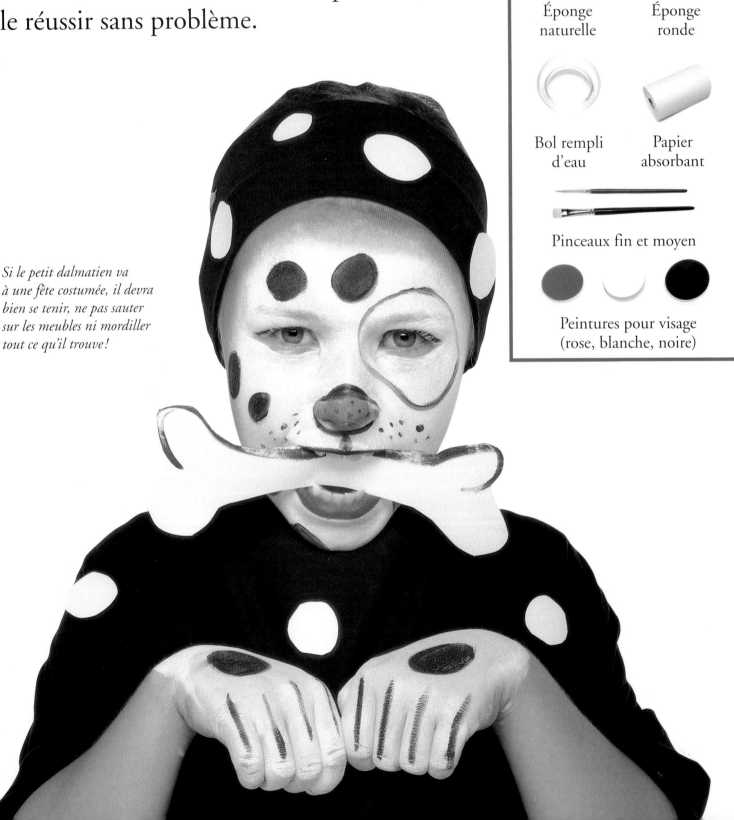

FOURNITURES ET MATÉRIEL NÉCESSAIRES

Bandeau ou élastiques à cheveux

Éponge naturelle

Éponge ronde

Bol rempli d'eau

Papier absorbant

Pinceaux fin et moyen

Peintures pour visage (rose, blanche, noire)

1 Noue tes cheveux en arrière (si besoin). Peins une épaisse ligne rose autour de ton visage avec le gros pinceau. Ferme les yeux et la bouche pendant qu'on couvre ton visage de blanc.

2 Peins un cercle noir autour d'un œil et du nez avec le pinceau fin. Trace une ligne noire de la base du nez à la lèvre supérieure. Peins deux lignes noires des coins de la bouche à la mâchoire.

3 Peins le nez en rose avec le gros pinceau. Fais des pointillés noirs sur le nez avec le pinceau fin. Tamponne les deux côtés de la bouche avec l'éponge naturelle et la peinture rose, tu obtiendras un effet estompé.

Pour faire le costume, découpe des ronds de papier et colle-les sur un tee-shirt et sur un bandeau avec de l'adhésif double face. Au lieu de peindre tes mains, tu peux porter des socquettes couvertes de taches en papier.

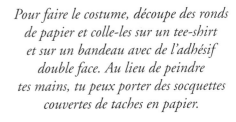

4 Fais un large sourire pour qu'on peigne la lèvre supérieure en noir avec le pinceau fin, et la lèvre inférieure en rouge.

5 Avec le pinceau fin et la peinture noire, fais des petites taches sur les joues et des ronds sur le front, les joues et le menton. Ferme les yeux pendant qu'on te peint une ligne noire sur les deux paupières.

6 Peins le dessus de tes mains en blanc avec l'éponge ronde. Fais quatre ronds noirs et des lignes sur les doigts.

La pieuvre

Voici une espèce très rare de pieuvre.
Elle n'a que cinq tentacules au lieu de huit.
On pourrait l'appeler pentapode : en grec,
« penta » signifie cinq et « pode », pied !
Si tu la mouilles, elle disparaît !

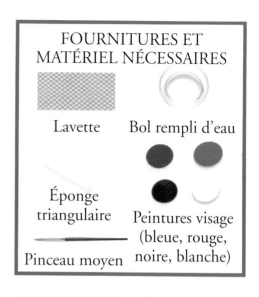

FOURNITURES ET MATÉRIEL NÉCESSAIRES

Lavette   Bol rempli d'eau

Éponge triangulaire

Peintures visage (bleue, rouge, noire, blanche)

Pinceau moyen

1 Pose la lavette sur la surface de travail. Peins ta main en bleu avec l'éponge triangulaire. Laisse sécher quelques minutes, puis applique une autre couche avec le pinceau moyen. Laisse sécher.

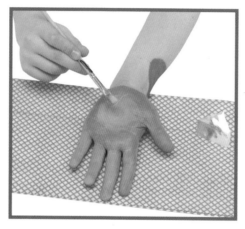

2 Retourne ta main et peins la paume en rose. Pour obtenir du rose, mélange du rouge et du blanc sur une éponge et applique la première couche sur la peau. Étale une deuxième couche avec le pinceau.

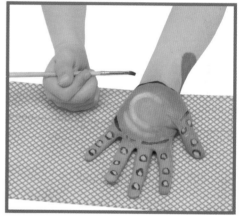

3 Peins des points blancs sur tes doigts. Laisse sécher quelques minutes. Entoure les points blancs d'un filet de peinture noire.

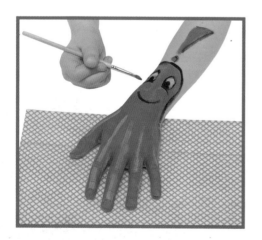

4 Quand la peinture est sèche, retourne ta main et peins la tête de la pieuvre sur le fond bleu. Fais des lignes rouges sur les doigts et un point d'exclamation au-dessus de sa tête.

Pour que ta pieuvre puisse faire un petit show, fabrique une mini-scène avec une boîte en carton vide, de la peinture et du papier. Laisse le haut de la boîte ouvert pour mettre ta main à l'intérieur. Découpe le devant en forme de rideaux de scène.

Le cerf

Transforme ta main en un superbe cerf majestueux. L'index et l'auriculaire figurent les bois, tandis que la partie inférieure de la tête se forme en joignant le majeur et l'annulaire au pouce.

FOURNITURES ET MATÉRIEL NÉCESSAIRES

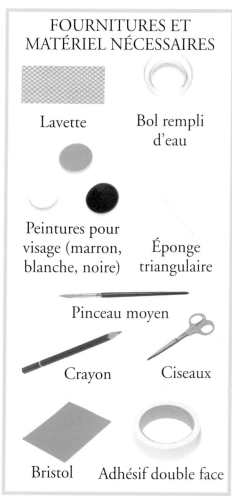

Lavette

Bol rempli d'eau

Peintures pour visage (marron, blanche, noire)

Éponge triangulaire

Pinceau moyen

Crayon

Ciseaux

Bristol

Adhésif double face

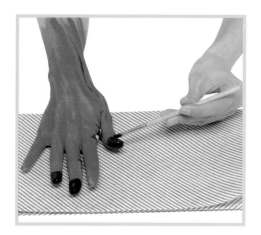

1 Pose ta main sur la lavette et peins-la en brun avec l'éponge. Laisse sécher. Dessine des lignes brun clair avec le pinceau, puis peins en noir les extrémités du pouce, de l'annulaire et du majeur.

2 Rapproche les doigts du milieu et dresse les deux autres pour faire la tête et les bois du cerf. Peins l'œil en blanc, comme indiqué. Entoure l'œil d'un cercle noir et dessine des cils.

Pour finir, dessine des bois sur le bristol. À la base de chaque bois, prévois une bande de 5 cm. Découpe le tout. Entoure les bandes autour des doigts et fixe-les avec du ruban adhésif.

3 Pour terminer l'œil, découpe un rond de 2 cm dans le bristol et peins un rond noir au milieu. Colle l'œil sur ton majeur avec de l'adhésif double face, comme indiqué. Peins l'adhésif.

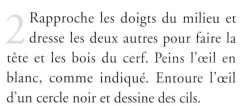

L'arbre en fleurs

Cet arbre en fleurs est si réaliste que tu pourrais presque te camoufler dans la jungle. Ses fleurs exotiques s'enroulent tout autour du tronc. Agite tes bras comme les branches dans le vent et la ressemblance sera parfaite !

FOURNITURES ET
MATÉRIEL NÉCESSAIRES

Bandeau ou élastiques à cheveux

Papier absorbant

Éponge triangulaire   Bol rempli d'eau

Pinceaux gros, moyen et fin

Peintures pour visage (marron, rouge, jaune, verte, bleue, rose)

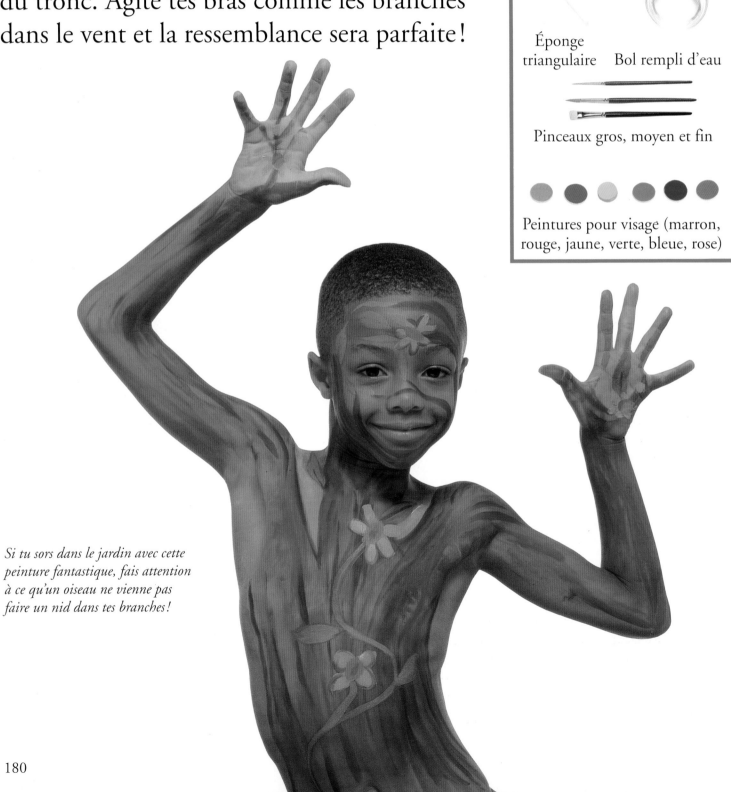

Si tu sors dans le jardin avec cette peinture fantastique, fais attention à ce qu'un oiseau ne vienne pas faire un nid dans tes branches !

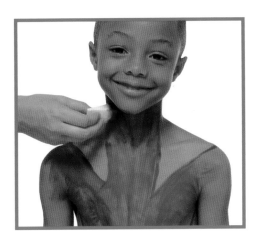

1 Noue tes cheveux en arrière (si besoin). Avec le pinceau moyen, peins les contours du tronc en brun sur ta poitrine et ton dos. Remplis l'intérieur de brun avec l'éponge. Crée différentes nuances en ajoutant du rouge ou du jaune.

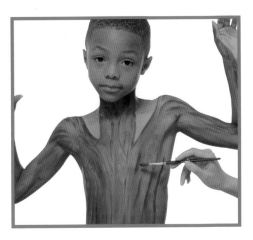

2 Peins les branches de la même façon sur le devant et l'arrière de tes bras. Continue sur les mains pour imiter l'extrémité des branches. Représente l'écorce avec de la peinture brun foncé.

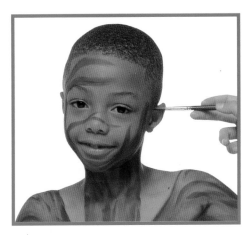

3 Peins des branches qui se croisent sur le cou et sur le visage avec la peinture brune et le gros pinceau. Laisse la peinture sécher avant de continuer.

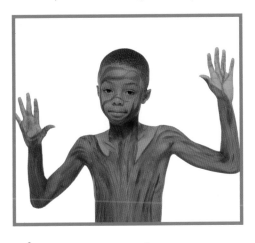

4 Lave le pinceau et l'éponge et essore cette dernière. Trace en vert les contours des feuilles et remplis-les avec le gros pinceau.

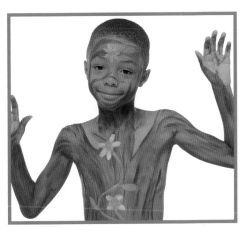

5 Peins une tige verte s'enroulant sur le tronc et reliant les feuilles. Peins les fleurs en bleu avec le gros pinceau. Passe deux couches. Après séchage, peins le cœur en rose.

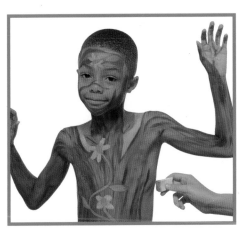

6 Peins le ciel en bleu avec l'éponge propre, autrement dit remplis toutes les parties non peintes avec du bleu. Applique la peinture de façon irrégulière pour faire un ciel nuageux.

Pour économiser la peinture

Quand tu peins une grande surface (comme le corps) avec des peintures pour visage, applique-les toujours avec une éponge naturelle ronde ou triangulaire. Avant de tremper l'éponge dans la peinture, humidifie-la. La peinture sera plus facile à étaler et tu en utiliseras moins. Pour répartir la peinture, mouille l'éponge et passe-la délicatement sur la partie où la couleur est concentrée. Tu peux mélanger les couleurs pour visage comme tu le fais avec de la peinture acrylique ordinaire. Si tu n'as besoin que d'une petite quantité d'un mélange de couleurs, fais-le sur le couvercle de la palette. Pour une grande quantité, prends une assiette. Pour faire briller tes couleurs, ajoute-leur du gel de maquillage pailleté ou des mini-paillettes.

La star disco

Pour éblouir tous les autres danseurs, maquille-toi avec du gel de maquillage pailleté qui existe en plusieurs couleurs. Il est facile à utiliser mais coule facilement.

FOURNITURES ET MATÉRIEL NÉCESSAIRES

Bandeau ou élastiques à cheveux

Éponge ronde

Éponge naturelle

Bol rempli d'eau

Papier absorbant

Pinceaux fin et gros

Peintures pour visage (rose, turquoise, noire)

Gel de maquillage pailleté or et pinceau

Démaquillant

Mini-étoiles

La star disco connaît tous les pas de danse et les réussit parfaitement.

1 Noue tes cheveux en arrière (si besoin). Trace un large cercle de peinture rose autour de ton visage avec une éponge ronde humide. Ne t'inquiète pas si le cercle n'est pas parfait, les contours seront retracés au pinceau fin.

2 Trace une ligne turquoise avec le pinceau fin, de l'angle intérieur de chaque œil jusqu'au bout du sourcil. Peins tes paupières en turquoise avec le gros pinceau. Égalise la couleur avec une éponge naturelle humide.

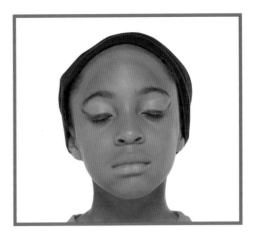

3 Quand la peinture est sèche, dessine deux lignes noires sur les paupières, comme indiqué. Peins à partir de l'angle intérieur de chaque œil, vers l'extérieur.

4 Peins le front, le nez, les paupières et le tour de la bouche au pinceau avec du gel de maquillage doré. Comme il coule facilement, n'en mets pas trop. Quand il est sec, tu peux en passer une autre couche.

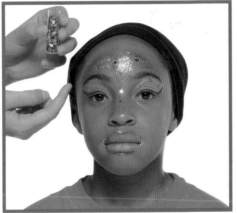

5 Quand le gel est encore frais, pose quelques étoiles sur ton front et ton nez. Ne les rapproche pas trop, elles tomberaient. Si le gel sèche avant que tu aies mis les étoiles, remets-en un peu.

Encore plus étincelante

C'est le moment de vaporiser du spray pailleté sur tes cheveux. Pour le retirer, lave-toi ou brosse-toi les cheveux. Tu trouveras du spray pailleté dans les magasins spécialisés en fournitures de théâtre.

6 Fais un large sourire pendant qu'on peint tes lèvres en rose vif avec le gros pinceau. Tu as bien raison d'être gaie car tu es la plus belle pour aller danser !

Le léopard rôdant

Métamorphose-toi en animal de la jungle, comme ce léopard tacheté. Pour te donner un air affamé et sauvage, tu devras creuser ton visage en traçant les contours selon une forme spéciale.

FOURNITURES ET MATÉRIEL NÉCESSAIRES

Bandeau ou élastiques à cheveux

Bol rempli d'eau

Papier absorbant

Peintures pour visage (jaune, orange, noire, rouge, marron)

Pinceaux fin, moyen et gros

Éponge ronde

Conseil pratique

Si tu maquilles tes mains, rappelle-toi de ne pas les mouiller. Il suffit de quelques gouttes pour effacer la peinture.

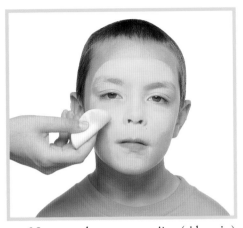

1 Noue tes cheveux en arrière (si besoin). Peins un cercle jaune autour de ton visage avec un pinceau moyen. Remplis le cercle avec de la peinture jaune appliquée avec l'éponge ronde. Essaye d'appliquer la peinture régulièrement.

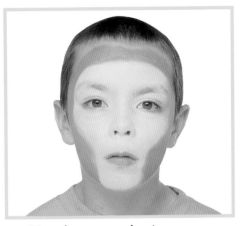

2 Trace le contour du visage en orange avec le gros pinceau en lui donnant la forme indiquée. Retrace les bords au pinceau fin ou moyen. Laisse complètement sécher la couleur de base avant de continuer.

3 Ferme les yeux pendant qu'on te dessine des traits noirs au pinceau fin sur les paupières. Peins en noir le nez et la lèvre supérieure et trace une ligne médiane du nez à la lèvre supérieure.

4 Même un léopard peut sourire pendant qu'on lui maquille la lèvre inférieure en rouge vif avec un pinceau fin.

5 Peins en brun bien nettement, avec le pinceau fin, les sourcils, les taches et les lignes.

6 Peins des petites taches brunes sous le nez avec le pinceau fin, puis la moustache du léopard.

Attention, le léopard est là !

Pour que tu ressembles vraiment à un léopard, le maquillage ne suffit pas. Il faut que tu apprennes aussi à rôder en silence et à feuler ! Tu peux également transformer tes vêtements. Pour faire les oreilles, coupe deux formes ovales dans du bristol orange. Replie le bas pour former un rabat. Dessine une ligne au stylo-feutre sur chaque oreille, comme indiqué. Colle la base des rabats sur ton front avec de la colle à maquillage. Ajoute des taches sur un tee-shirt orange (et même un pantalon de jogging) avec des ronds jaunes découpés dans du bristol et fixés avec de l'adhésif double face. Peins des pattes sur tes mains ou porte des gants ou des socquettes. Décore les gants ou les socquettes avec des ronds et des bandes de bristol. Fixe le bristol avec de l'adhésif double face.

Le faux tatouage

Faire un tatouage avec de la peinture pour visage est simple. Et il disparaît facilement à l'eau et au savon. Tu peux te peindre des tatouages sur tout le corps. Celui-ci consiste en une bannière, un cœur et tes initiales.

MATÉRIEL NÉCESSAIRE

Papier absorbant

Bol rempli d'eau

Peintures pour visage (violette ou noire, rouge, verte)

Pinceaux fin et gros

1 Peins le contour du tatouage en violet ou en noir avec le pinceau fin.

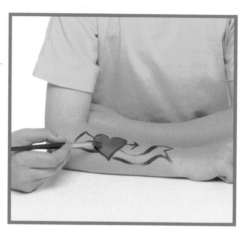

2 Laisse sécher avant de peindre le cœur en rouge avec le gros pinceau.

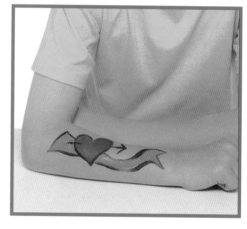

3 Peins la bannière en vert après avoir lavé le gros pinceau. Passe deux couches si nécessaire.

Fais-toi un tatouage plus artistique avec des fleurs, des animaux, des voitures, des bateaux, ou même tes rollers.

4 Peins tes initiales en violet ou en noir avec le pinceau fin. Décore la bannière de minces rayures rouges avec le pinceau fin, après l'avoir lavé.

Les bijoux précieux

La peinture pour visage te permet de créer des bijoux fantastiques pour t'amuser ou pour te déguiser lors d'une fête costumée. Imagine l'étonnement de tes amies qui te verront scintillante de rubis et de saphirs !

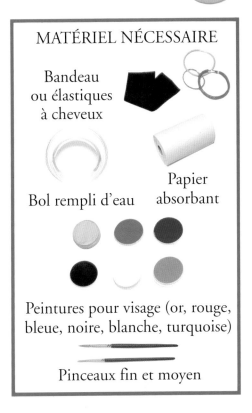

MATÉRIEL NÉCESSAIRE

Bandeau ou élastiques à cheveux

Bol rempli d'eau

Papier absorbant

Peintures pour visage (or, rouge, bleue, noire, blanche, turquoise)

Pinceaux fin et moyen

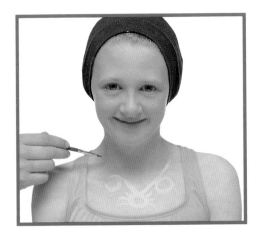

1 Noue tes cheveux en arrière (si besoin). Peins les contours du collier en doré avec le pinceau moyen. Si nécessaire, passe deux couches.

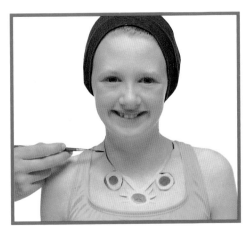

2 Remplis les contours en rouge et en bleu. Peins une fine ligne noire autour du collier et des pierres avec le pinceau fin.

Conseil pratique

La peinture dorée est un peu plus chère que les autres couleurs. Tu peux la remplacer par du jaune.

3 Dessine une bande dorée autour du poignet, puis trace le contour de la montre et du bracelet en noir. Peins le cadran en blanc et les aiguilles en turquoise avec le pinceau fin.

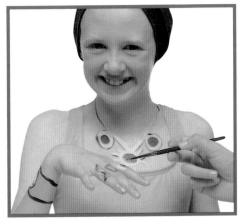

4 Peins le contour des bagues sur tes doigts avec le pinceau fin. Laisse sécher, puis ajoute de magnifiques pierres précieuses sur les bagues : turquoises, rubis et saphirs.

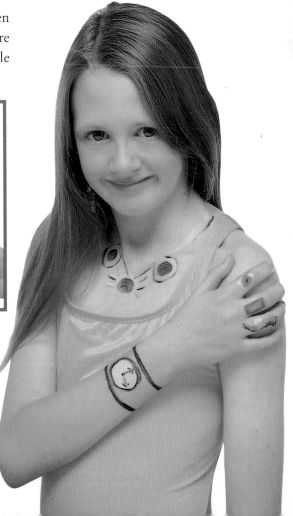

Le champion de football

Tu n'as pas besoin d'acheter le maillot de
ton équipe favorite, peins-le! Le maquillage
sur le corps est très amusant, surtout si tu es
chatouilleux! Essaye de ne pas rire pour
que tes chaussettes ne tombent pas
en tire-bouchon. Enlève la peinture
sous la douche et essuie-toi avec
une vieille serviette.

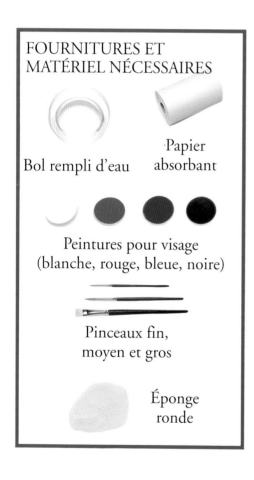

FOURNITURES ET MATÉRIEL NÉCESSAIRES

Bol rempli d'eau

Papier
absorbant

Peintures pour visage
(blanche, rouge, bleue, noire)

Pinceaux fin,
moyen et gros

Éponge
ronde

*Quand tu dessines les pieds,
ne peins que le dessus et
les côtés pour ne pas laisser
des empreintes sur la moquette!*

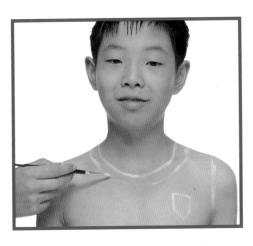

1 Peins les contours du maillot en blanc, sur la poitrine et sur le dos, avec le pinceau fin ou moyen. N'oublie pas l'écusson.

2 Trace une épaisse ligne rouge à l'intérieur de la ligne blanche. Peins une ligne rouge autour de la taille. Repasse de la peinture blanche au-dessus de l'encolure. Recouvre de blanc les manches avec le gros pinceau.

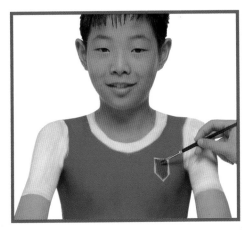

3 Peins le reste du maillot avec l'éponge ronde. Pour que la peinture s'étale bien, humidifie l'éponge avant de l'appliquer. Dessine les détails de l'écusson avec un pinceau fin.

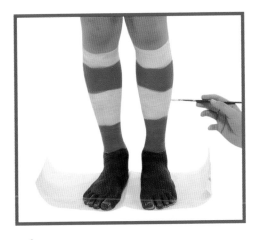

4 Lave bien l'éponge et recouvre le sol de papier absorbant. Peins le dessus des pieds en noir avec l'éponge et les bandes rouges et noires autour des jambes avec le gros pinceau.

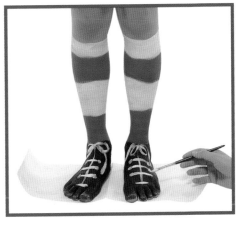

5 Reste immobile pendant que la peinture noire sèche. Quand elle est sèche, peins les lacets en blanc avec le gros pinceau ou le moyen. Pour que les lacets se voient bien, ils doivent être assez larges.

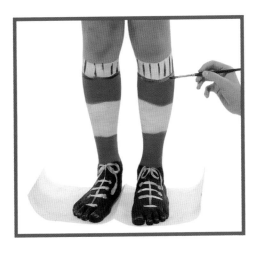

6 Peins des petites lignes noires sur le haut des chaussettes avec le pinceau moyen. Dessine ensuite une ligne noire autour de la jambe pour le revers. Le champion de foot devra attendre que la peinture soit sèche avant de tirer au but.

Coup d'envoi

Rassemble tes amis et peignez-vous mutuellement des footballeurs sur les mains. Pour faire un match, compose deux équipes et jouez avec la balle sur le plateau d'une table. Tire au but en tapant dans la balle avec un doigt ou avec la tête (le dos de ta main)!

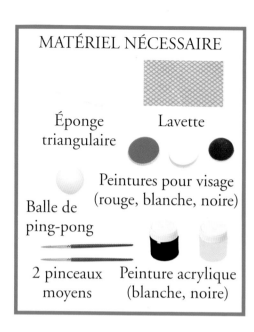

MATÉRIEL NÉCESSAIRE

Éponge triangulaire

Lavette

Balle de ping-pong

Peintures pour visage (rouge, blanche, noire)

2 pinceaux moyens

Peinture acrylique (blanche, noire)

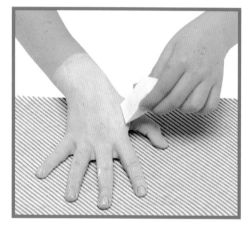

1 Pose la lavette sur la surface de travail. Passe une couche de base blanche sur une main ou sur les deux avec une éponge triangulaire. Laisse sécher.

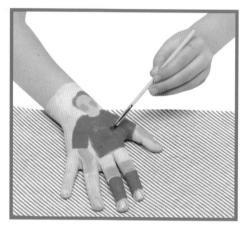

2 Peins les chaussettes et la chemise en rouge au pinceau. Dessine le visage, les bras et les genoux d'une couleur différente et laisse sécher quelques minutes.

3 Délimite les parties du corps avec un filet noir. Peins ensuite les chaussures et les traits du visage en noir.

4 Recouvre une balle de ping-pong avec de la peinture acrylique noire. Lorsqu'elle sera sèche, ajoute des marques blanches pour imiter un ballon de football.

Pour faire le terrain, recouvre le dessus de la table avec un journal ou une grande feuille de papier et marque les lignes avec un stylo-feutre. Découpe un des longs côtés de deux petites boîtes pour faire les buts. Peu importe la longueur des boîtes mais elles doivent être exactement de la même taille. Fixe les buts à chaque extrémité du terrain avec de l'adhésif double face. Te voilà prêt à tirer!

Le petit diable

Mains et doigts peuvent se métamorphoser en toutes sortes de formes et de créatures surprenantes, comme ce diable affublé de sa cape et de sa fourche. L'index et l'auriculaire forment les cornes, tandis que le majeur et l'annulaire se replient pour figurer les cheveux.

MATÉRIEL NÉCESSAIRE

Pinceau moyen

Lavette

Peintures pour visage (rouge, noire, blanche)

Ciseaux

Éponge triangulaire

Papier noir

Tulle rouge

Colle vinylique et pinceau

Gel de maquillage pailleté or

1 Étale la lavette. Passe ton poignet, le dos et la paume de ta main en rouge, à l'éponge. Peins l'index et le petit doigt en blanc et les deux doigts du milieu en noir au pinceau.

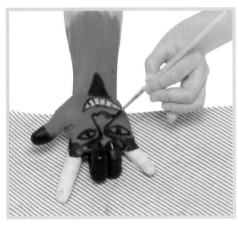

2 Après séchage, peins en noir le bout du pouce et la base du petit doigt. Passe en noir le visage et la barbe du diable avec le pinceau moyen. Souligne les dents en noir et remplis-les en blanc.

3 Passe délicatement un peu de gel de maquillage or avec le doigt sur le poignet pour faire briller le cou du petit diable.

Pour finir, coupe un morceau de tulle rouge et enroule-le autour de ton poignet. Découpe un trident dans un papier noir et colle-le sur le tulle.

L'extraterrestre

Les extraterrestres peuvent prendre toutes sortes de formes. Cette superbe créature de l'espace aux yeux multiples vient de la planète Agog. Elle voit tout, et les yeux de ses paupières sont en action même quand elle dort. Elle a également des yeux sur des antennes au-dessus de la tête.

MATÉRIEL NÉCESSAIRE

Bandeau ou élastiques à cheveux

Bol rempli d'eau

Papier absorbant

Peintures pour visage (verte, blanche, bleue, noire, rouge)

Pinceaux fin et gros

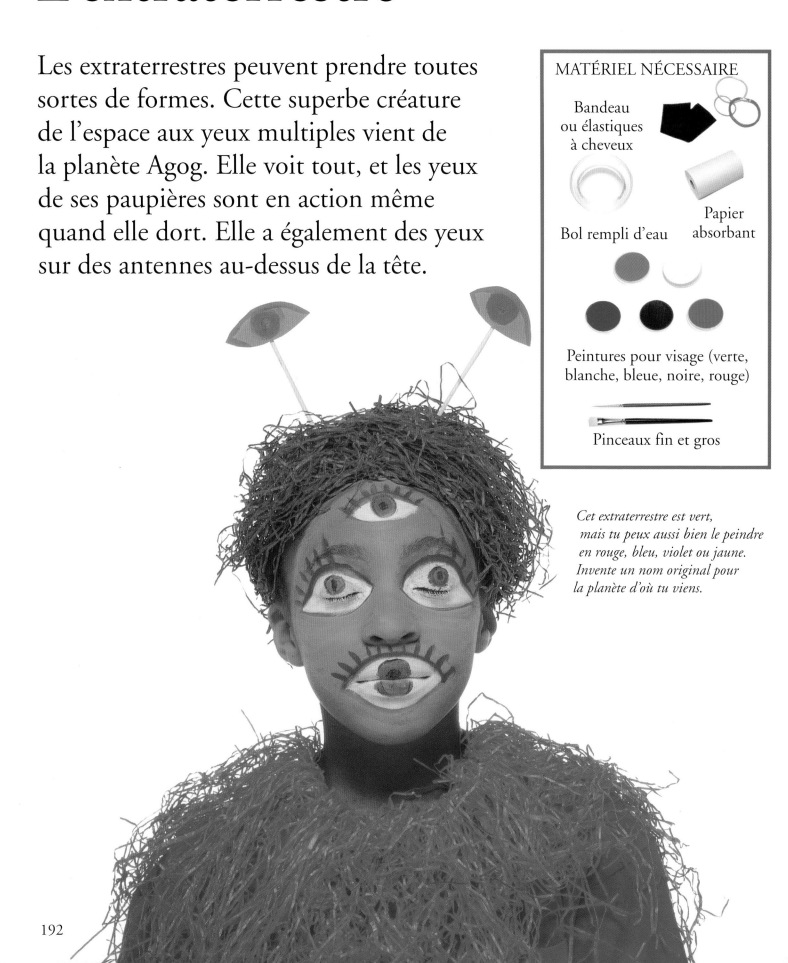

Cet extraterrestre est vert, mais tu peux aussi bien le peindre en rouge, bleu, violet ou jaune. Invente un nom original pour la planète d'où tu viens.

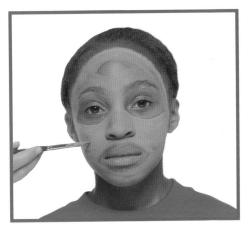

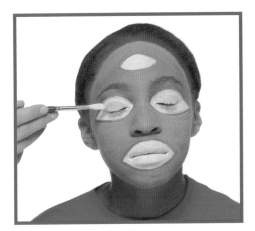

1 Noue tes cheveux en arrière (si besoin). Peins en vert au pinceau fin les contours de quatre yeux ovales. Ferme bien les yeux et la bouche pendant qu'on les peint.

2 Peins un cercle vert autour de ton visage avec le gros pinceau. Si nécessaire, passe deux couches. Remplis l'intérieur en vert. Rince et sèche le gros pinceau.

3 Quand la peinture verte est sèche, remplis les quatre yeux en blanc avec le gros pinceau. Applique une bonne épaisseur et passe deux couches si nécessaire.

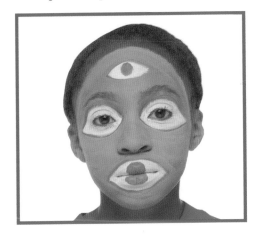

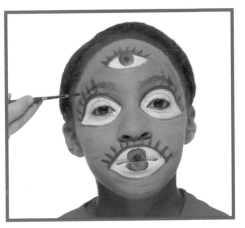

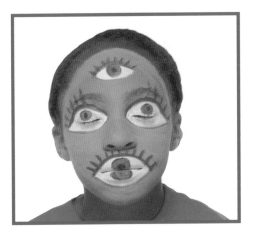

4 Laisse sécher la peinture blanche. Peins ensuite des ronds bleus sur les yeux des lèvres et du front pour former l'iris. Applique deux couches si nécessaire.

5 Quand la peinture bleue est sèche, peins un rond noir sur l'iris pour faire la pupille. Avec le pinceau fin, souligne le bord de la paupière avec une ligne rouge et peins les cils.

6 Ferme les yeux et ne bouge pas pendant le maquillage de l'iris bleu, puis de la pupille noire. Attention! Les extraterrestres aux yeux multiples sont arrivés!

Costume d'extraterrestre

Les habitants de la planète Agog sont vêtus de raphia multicolore. Il est enroulé autour de leur tête et leur sert de manteau. Mais devine ce qu'il y a sous le manteau? D'autres yeux évidemment! Quand tu feras les yeux à poser au-dessus de la tête, découpe et colories-en d'autres et colle-les sur ton tee-shirt avec du ruban adhésif double face. Quand tu ouvriras ton manteau de raphia, tes amis seront sidérés de tous ces yeux cachés!
Pour attacher les yeux en carton sur les pailles en plastique, prends du ruban adhésif. Pour les fixer sur ta tête, replie le bas des pailles et passe-le à travers un bandeau. Si elles bougent, rajoute du ruban adhésif.

Jeux
de cirque

Nick Huckleberry Beak

Introduction

Ainsi, tu voudrais jeter des tas d'objets en l'air et les rattraper ? Créer des animaux avec du caoutchouc et de l'air pur ? Faire le clown et t'amuser ? Eh bien tu es tombé sur le bon chapitre. Attention cependant ! La fièvre du jongleur s'attrape facilement et tu risques de t'éclater avec tes ballons !

Jonglerie

Quand tu auras appris les bases, tu ne pourras plus revenir en arrière. Tu commenceras avec des balles et des sacs de riz, puis tu voudras jongler avec des fruits, des assiettes, des tasses, des chaussures. Avant de t'en apercevoir, tu jongleras avec le chat de la maison, la tour Eiffel et un éléphant. Rien n'est à l'abri, tout peut servir. Certains tours sont faciles et tu t'y mettras vite. Pour d'autres, tu devras avoir de la patience, t'exercer encore et encore. Si tu n'as pas de balles à jongler, ne t'inquiète pas,

tu peux faire toi-même balles et sacs de riz. Si tu ne peux pas attendre, jongle avec des foulards, des fruits (demande d'abord la permission), ou même avec des chaussettes à moitié remplies de riz cru (impossible de jongler avec du riz cuit). N'essaye pas de jongler avec de la porcelaine fragile ou des appareils électroniques, en tout cas pas tout de suite !

Le virus de la sculpture de ballons

Tords, tords, plie, plie, étire, tords et pop ! Non, ce n'est pas une nouvelle danse ni une nouvelle céréale. Ce sont les bruits émis par quelqu'un qui a attrapé le virus de la sculpture de ballons. C'est un virus que l'on peut se passer sans crainte. En un rien de temps, tu pourras créer un monde de chiens sans poils, d'oiseaux sans plumes et de fleurs n'ayant pas besoin d'eau.

Tu pourras même bâtir une maison d'air avec une pompe et dix-sept ballons seulement.

Au début, tu les feras pour toi, puis tu commenceras à te produire à des fêtes, à des anniversaires et à des soirées costumées. Quand le virus sera bien installé, tu sculpteras en attendant le bus, à l'école et la nuit sous ta couette ! Ce n'est pas que tu seras devenu fou, tu auras simplement attrapé la ballonmania !

Voici à quoi ressemble le jongleur débutant, il louche et a l'air ahuri !

Voici à quoi ressemble un garçon qui a attrapé le virus de la sculpture de ballons et s'amuse bien !

Voici une ballonmaniaque. Les ballons lui sont complètement montés à la tête !

Fournitures et matériel

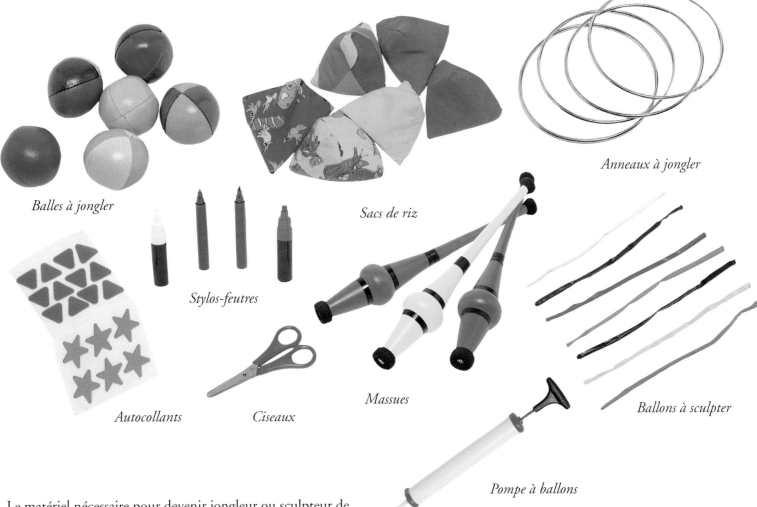

Balles à jongler

Anneaux à jongler

Sacs de riz

Stylos-feutres

Autocollants

Ciseaux

Massues

Ballons à sculpter

Pompe à ballons

Le matériel nécessaire pour devenir jongleur ou sculpteur de ballons est très réduit. Tes plus grands atouts sont ta brillante personnalité et ton charmant sourire !

⋏ **Pompe à ballons.** Il existe plusieurs sortes de pompes à ballons mais assure-toi que la tienne possède un embout pointu, spécialement étudié pour gonfler les ballons à sculpter. La pompe la plus efficace est à double action. Elle gonfle le ballon à la fois quand tu la pousses et quand tu la tires.

⋏ **Sacs de riz.** Fabriqués avec un tissu de coton, ils ont la forme d'une pyramide. Ils sont remplis de riz ou de légumes secs. Tu peux les acheter dans les magasins de sports ou de farces et attrapes. Il t'en faut au moins trois.

⋏ **Stylos-feutres.** Pour dessiner des visages et décorer tes créations, tu as besoin de feutres indélébiles qui tiendront sur la surface lisse du ballon.

⋏ **Balles à jongler.** Ce sont des balles souples en plastique de toutes sortes de couleurs et de motifs. Elles sont bon marché et tu peux les acheter dans les magasins de jouets et de farces et attrapes, ou les faire toi-même avec des ballons ronds et du riz.

⋏ **Massues.** Tu peux les acheter par boîtes de plusieurs ou individuellement. Elles existent en plusieurs tailles et sont bon marché. Tu peux les remplacer par des quilles en plastique que tu décoreras pour les faire ressembler à des vraies massues.

⋏ **Anneaux.** Quand tu commenceras à bien savoir jongler, tu pourras acheter une série d'anneaux. Ils sont en métal et existent en plusieurs tailles.

⋏ **Ballons à sculpter.** Ce sont de longs ballons minces qui existent de toutes les couleurs. Tu les trouveras par boîtes de 100 dans les boutiques de jouets. Tous les ballons utilisés ici sont du type « 260 ».

Les ballons à sculpter doivent être gardés dans un endroit sombre et frais pour conserver leurs qualités.

⋏ **Ciseaux.** Tu en as besoin pour couper les ballons et faire des balles, pour fabriquer les sacs de riz et pour l'un des tours.

⋏ **Autocollants.** Pour décorer tes « sculptures » et ton matériel de jongleur. Achète des feuilles d'autocollants unis ou fantaisie, dans les magasins de jouets ou les grandes surfaces.

Techniques de base

Comment gonfler et nouer les ballons

Les ballons à sculpter sont plus faciles à gonfler et risquent moins d'éclater s'ils sont chauds : pour cela, étire-les plusieurs fois. Ne laisse pas tes ballons au soleil, qui les désintègre rapidement, et ne les mets pas au réfrigérateur.

Clac ! Certains ballons éclatent plus facilement que d'autres. En moyenne, un ballon sur 25 ou 30 éclate quand on le gonfle. Ne t'inquiète pas, tu n'y es pour rien ! Jette-le aussitôt dans la poubelle, hors de portée des jeunes enfants.

Pour faire un nœud avec un ballon à sculpter, la seule qualité est la patience. Si tu procèdes lentement, en tenant fermement le ballon, tu arriveras à tes fins.

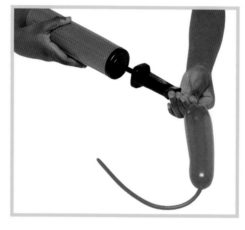

1 Glisse délicatement l'embout de la pompe, sur 2 cm environ, dans l'ouverture du ballon. Maintiens le ballon en place. Si tu le lâches pendant que tu le gonfles, tu peux imaginer ce qui arrivera !

2 Gonfle le ballon, mais n'oublie pas d'en laisser une partie non gonflée à l'extrémité. C'est important car, chaque fois que tu tords le ballon gonflé, un peu d'air se réfugie dans cette partie. Plus un projet comprend de torsions, plus la partie non gonflée doit être longue.

3 Le nœud est parfois agaçant à faire mais, en fait, c'est moins difficile qu'il n'y paraît. Maintiens le ballon bie n fermé entre le pouce et le majeur, puis tire – pas trop fort – sur l'extrémité du ballon.

4 Étire l'extrémité du ballon jusqu'à entourer tes deux doigts. Maintiens-la en place à l'aide de ton pouce.

5 Passe l'extrémité du ballon entre tes deux doigts et noue-la.

6 Sans lâcher, retire tes doigts du nœud et serre fort. Voilà, le tour est joué. Avoue que ce n'était pas si difficile.

Décorations

Tu peux modifier ton ballon et le faire plus coloré, plus réaliste ou plus drôle en le dessinant ou en le décorant.

La façon la plus simple et la plus rapide de décorer des ballons est d'utiliser des stylos-feutres. En plus des feutres de couleur, essaye de te procurer un feutre blanc, très utile pour dessiner les yeux, car il les fait ressortir.

Tu dessineras probablement d'abord les yeux, le nez et la bouche de tes animaux, mais pourquoi ne pas leur faire des pattes, des plumes ou de la fourrure, ou même les décorer de superbes motifs fantaisie ? Tu peux dessiner un collier sur le ballon-chien par exemple, avec son nom écrit dessus. Si tu fais une sculpture pour un ami, tu peux écrire son nom ou lui envoyer un message. Un ballon-éléphant avec « Joyeux anniversaire » sur le dos fera une carte d'anniversaire plutôt originale !

Tu peux aussi décorer tes ballons avec des petits autocollants. Il en existe de toutes les formes, textures et couleurs, certains avec des yeux, un nez, des oreilles et d'autres traits du visage. Quand l'autocollant est collé, il est impossible de le retirer sans faire éclater le ballon.

Pour faire tenir la peinture sur un ballon, il faut d'abord la mélanger avec de la colle vinylique. Applique-la délicatement, avec un pinceau doux.

Jongler sans danger

🖐 N'essaye pas de jongler avec des objets pointus ou coupants ou avec des objets lourds. Tu risques de te couper, de te faire une bosse ou de les recevoir sur le pied. Aïe !

🖐 Dégage l'espace autour de toi avant de jongler. Demande à un adulte de pousser les meubles pour qu'ils ne te gênent pas. Enlève aussi les objets fragiles.

Sculpter sans danger

Ces ballons sont amusants, mais ils peuvent également être dangereux. Aussi faut-il prendre certaines précautions :

🖐 Garde toujours les ballons non gonflés ou éclatés hors de portée des jeunes enfants et des animaux pour éviter les accidents par asphyxie.

🖐 Ne mets jamais un ballon dans ta bouche.

🖐 Tiens les ballons éloignés de tes yeux, en particulier lorsque tu les étires ou les gonfles.

🖐 Utilise toujours une pompe. Les ballons à sculpter sont très difficiles à gonfler et peuvent t'endommager les poumons ou les oreilles si tu essaies de les gonfler à la bouche.

🖐 Ne joue pas avec les ballons dans la cuisine (ils pourraient tomber sur la plaque chauffante ou sur le gaz allumé), près de la cheminée ou d'un radiateur.

🖐 Jette aussitôt dans la poubelle les ballons éclatés.

199

Faire une balle avec des ballons

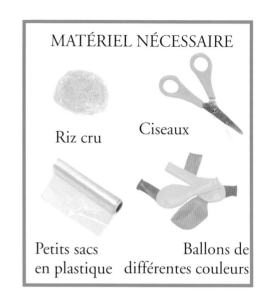

Riz cru   Ciseaux

Petits sacs en plastique   Ballons de différentes couleurs

Les balles en ballons sont amusantes, colorées et faciles à faire. Pour commencer ta carrière de jongleur, il te faut trois balles.

1 Coupe les bouts de deux ballons pour ne conserver que la partie ronde. Remplis un sac en plastique de riz (250 g). Enferme le riz en repliant le sac autour de lui-même.

2 Glisse le sac de riz à l'intérieur de l'un des ballons coupés, en faisant attention de ne déchirer ni l'un ni l'autre. Ne t'inquiète pas si une partie du sac en plastique est encore visible.

3 Glisse le ballon contenant le riz dans le second ballon, qui doit alors recouvrir complètement le sac en plastique. Cela n'a pas d'importance si tu vois encore une partie du premier ballon.

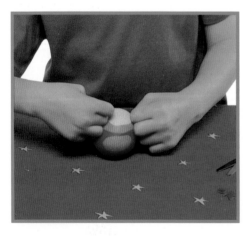

Quand tu étires les ballons extérieurs sur la balle, les trous découpés s'agrandissent en laissant apparaître les couleurs des ballons de dessous. Ne t'arrête pas tout de suite, tu dois faire encore trois balles!

4 Coupe le bout d'un autre ballon et découpe quelques petits trous dans la partie ronde. Enfile la balle dans ce ballon. Recommence avec un autre ballon coupé.

200

Faire des sacs de riz

Sors ton aiguille et ton fil, le moment est venu de fabriquer le matériel indispensable à tout jongleur : les sacs de riz !

MATÉRIEL NÉCESSAIRE

Riz cru

Ciseaux

Aiguille et fil à coudre

Chutes de tissu en coton

Carré de bristol de 10 cm

Petits sacs en plastique

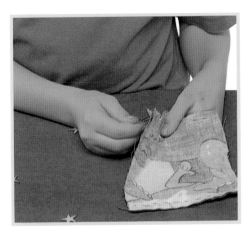

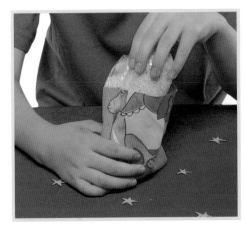

1 En prenant le carré de bristol pour gabarit, coupe deux carrés de tissu. Pour faire trois sacs de riz, il te faut six carrés de tissu.

2 Pose deux carrés de tissu endroit contre endroit. Enfile ton aiguille, fais un nœud au bout du fil et couds les carrés ensemble sur trois côtés. Retourne le sac sur l'endroit.

3 Remplis le sac en plastique avec 150 à 300 g de riz. Enferme le riz en repliant le sac autour de lui-même. Mets le sac contenant le riz à l'intérieur du sac en tissu.

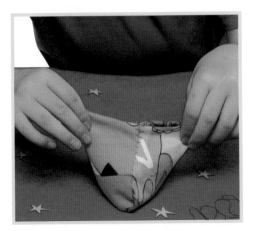

Tu dois encore fabriquer deux sacs de riz. Prends un tissu différent pour chacun d'eux, il te sera ainsi plus facile de suivre les sacs quand tu commenceras à jongler.

4 Fais un rentré sur l'ouverture du sac en tissu. Tiens-le comme indiqué, de façon à faire se chevaucher les deux coutures, et couds les bords ensemble pour faire une pyramide.

Jongler avec une balle

Tout comme l'athlète qui doit faire des
exercices d'échauffement avant d'entrer sur
la piste, le jongleur doit faire de même.
Ces exercices t'aideront à te familiariser
avec le poids, la forme et la trajectoire
de la balle et à deviner où elle
tombera. Ce n'est pas aussi
difficile que cela en a l'air.
Fais cet échauffement avant
chaque nouvel exercice.

FOURNITURES

1 balle souple à jongler,
balle en ballons ou sac de riz

Conseil pratique

Cet exercice peut se faire avec toutes
sortes d'objets, baskets, balles de tennis,
oranges ou même éléphants (un tout
petit, évidemment!). Un bon jongleur
peut jongler avec n'importe quoi,
et le moment est venu de t'entraîner.

1 **Petite tapette.** Ce premier exercice est très facile. Tiens la balle dans la main droite. Tu vois, c'est facile !

2 Lance la balle en arc, juste au-dessus de ta tête. Pendant que la balle est en l'air, frappe dans tes mains mais ne la quitte pas des yeux.

3 Attrape la balle de la main gauche. Lance-la de la main gauche à la main droite et frappe dans les mains pendant qu'elle est en l'air.

4 **Sous la jambe.** Tiens la balle dans la main droite et passe-la sous ton genou droit. Lance-la vers le haut, frappe dans les mains et attrape-la avec la main gauche.

5 **Derrière le dos.** Tiens la balle derrière le dos dans ta main droite. Lance-la par-dessus ton épaule gauche. Attrape-la de la main gauche. Recommence avec la main gauche.

6 **Tour complet.** Teste ton équilibre : lance la balle avec la main droite ; pendant qu'elle est en l'air, fais un tour sur toi-même, puis attrape la balle de la main gauche.

7 Recommence en lançant la balle de ta main gauche à ta main droite. Faites un tour dans l'autre sens. Es-tu étourdi ?

Exercice plus difficile

Fais cinq fois les exercices ci-dessus. Quand tu réussiras chaque exercice sans faire tomber la balle, attaque-toi à plus difficile !

Répète les exercices ci-dessus mais, cette fois, lance la balle un peu plus haut et, au lieu de frapper dans les mains une seule fois et de faire un seul tour, frappe trois fois ou fais deux tours.

Quand tu réussiras sans que la balle tombe, fais-le les yeux fermés. Je plaisante, bien sûr !

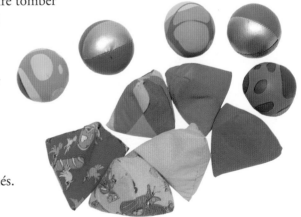

Jongler avec deux balles

N'aie pas peur, jongler avec deux balles n'est pas si difficile. Le secret est de ne pas quitter les balles des yeux. Oublie tes mains, elles resteront de toute façon au bout de tes bras. La seconde partie de cet exercice s'appelle le cauchemar du jongleur. Lancer les balles est beaucoup plus facile que de garder les mains croisées. Même les jongleurs expérimentés trouvent ce tour difficile.

FOURNITURES

2 balles souples à jongler, balles en ballons ou sacs de riz

Conseil pratique

Tu peux rendre ces exercices plus difficiles en frappant dans les mains ou en faisant un tour complet pendant que les balles sont en l'air. Si tu réussis le cauchemar du jongleur tout en faisant un tour complet, tu peux aller travailler dans un cirque !

Voici un garçon bien souriant, mais attends de le voir faire le cauchemar du jongleur ! Quand tu le réussiras parfaitement, mets tes amis au défi d'essayer.

1 Tiens une balle dans chaque main. Lance les deux balles tout droit, pas trop haut, juste au-dessus de ta tête. Attrape les balles. Répète cinq fois l'exercice.

2 Lance les balles de façon à ce qu'elles se croisent à mi-hauteur et attrape-les avec la main opposée. Lance une des balles un peu plus haut pour qu'elles ne se cognent pas.

3 Prends une balle dans chaque main et lance-les tout droit comme dans l'étape 1. Quand les balles sont en l'air, croise les mains et attrape-les. Essaye de ne pas loucher !

4 Si tu arrives à faire cet exercice, dans dix minutes tu sauras jongler avec trois balles. Tiens une balle dans chaque main et détends-toi !

5 Jette la balle de droite en arc au-dessus de ta tête, vers ta main gauche. Lorsqu'elle commence à tomber, prépare-toi à lancer la balle qui est dans ta main gauche.

6 Lance la balle de gauche en arc vers ta main droite. Attrape la balle de droite dans ta main gauche et la balle de gauche dans ta main droite.

7 **Le cauchemar du jongleur.** Variante difficile de l'étape 3. Tiens une balle dans chaque main et croise les bras comme indiqué.

8 Jette les deux balles en l'air en même temps de façon à ce qu'elles se croisent et atterrissent dans la main opposée, les mains restant croisées.

9 Attrape les deux balles. Tes mains sont-elles toujours croisées ? Si oui, bravo ! Sinon, essaye encore. Maîtriser cet exercice prend du temps.

Jongler avec trois balles

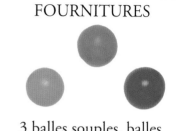

FOURNITURES

3 balles souples, balles en ballons ou sacs de riz

Comme il faut bien commencer un jour, prends trois balles souples ou trois sacs de riz et apprête-toi à jongler pour de vrai.
Si tu préfères, tu peux t'entraîner avec des foulards, moins rapides et plus faciles à attraper.

Conseil pratique

Rappelle-toi qu'il faut lancer les balles tout droit vers le haut et non vers l'avant. Si tu les lances vers l'avant, tu te retrouveras à te promener au milieu de ton public. C'est déjà assez difficile de jongler avec trois balles sans avoir à marcher en même temps !

Ce garçon vient de découvrir que, s'il compte « un, un, un, un » en jonglant, cela l'aide à ralentir le rythme. Compter « un, deux, trois, quatre » te fait accélérer et toutes les balles se retrouvent sur le sol !

1 Tiens deux balles dans la main droite (change de main si tu es gaucher) et une dans l'autre main.

2 Lance la balle jaune en diagonale et tiens-toi prêt à lancer la verte, au moment où la jaune commence à redescendre.

3 La balle verte est maintenant à mi-hauteur et tu as attrapé la jaune. Lance la balle rouge quand la verte amorce sa descente.

4 Attrape la balle verte, mais garde bien les yeux sur la rouge que tu viens de lancer. Oui, je sais, tu as envie de regarder tes mains, mais ne le fais pas.

5 Ouf! Tu as attrapé la balle rouge. Bravo! Tu as réussi à jongler avec trois balles.

6 **Départ foudroyant.** Quand tu réussiras parfaitement les étapes 1 à 5, essaye ce tour. Tiens trois balles comme dans l'étape 1.

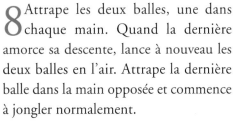

8 Attrape les deux balles, une dans chaque main. Quand la dernière amorce sa descente, lance à nouveau les deux balles en l'air. Attrape la dernière balle dans la main opposée et commence à jongler normalement.

7 Lance une balle de chaque main, en même temps. Quand les balles amorcent leur descente, lance la balle qui reste, en arc au-dessus de ta tête. Ne quitte pas les balles des yeux.

Le jongleur raté

Voici un tour pour tous ceux qui aiment se produire sur une scène. Tu devras t'adresser au public d'un ton convaincant et avoir l'air vraiment embarrassé devant ton échec.

FOURNITURES

6 sacs de riz

1 Annonce au public que tu vas faire la représentation du pire jongleur du monde. Tiens trois sacs de riz dans chaque main. Mets-toi à gesticuler et agiter tes mains dans tous les sens, comme si tu te préparais à jongler. Regarde constamment en l'air.

3 Chaque fois qu'un sac touche le sol, prends un air déconfit en feignant d'être effondré. C'est bien toi le pire jongleur du monde !

2 Le moment crucial est arrivé. Lance tes six sacs de riz en l'air en gesticulant comme pour essayer de les rattraper mais laisse-les tous tomber par terre.

Le singe jongleur

Tu vas maintenant jongler avec des bananes.
Ce tour est très facile, mais pour le rendre
plus amusant, imite le singe !

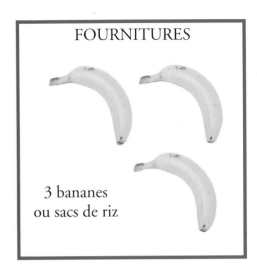

FOURNITURES

3 bananes
ou sacs de riz

1 Mets un sac de riz ou une banane sous chaque bras et un dans ta main gauche. Ouvre ta main droite en forme de coupe. Lâche le sac du bras droit et attrape-le avec la main droite tout en grognant comme un singe.

2 Le sac de riz est toujours dans ta main droite. Mets le sac de ta main gauche sous le bras droit. En laissant retomber ton bras gauche, lâche le sac qui est dessous.

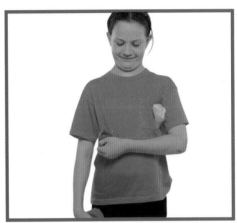

3 Attrape le sac de riz avec ta main gauche ouverte. Mets le sac de la main droite sous ton bras gauche. En laissant retomber ton bras droit, lâche le sac de riz qui est dessous.

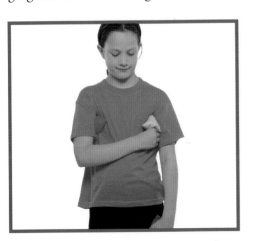

4 Attrape le sac de riz avec ta main droite ouverte et recommence au début. Il faut t'exercer pour faire le tour très rapidement. Et, si tu veux, finis le tour en dégustant les bananes !

Tu peux aussi balancer les bras et sauter sur place comme un gorille !

Dessus dessous

Cette fois, tu vas jongler avec trois balles, sous la jambe et par-dessus l'épaule. N'oublie pas de lever haut la jambe et non de te baisser, c'est important pour garder ton équilibre.

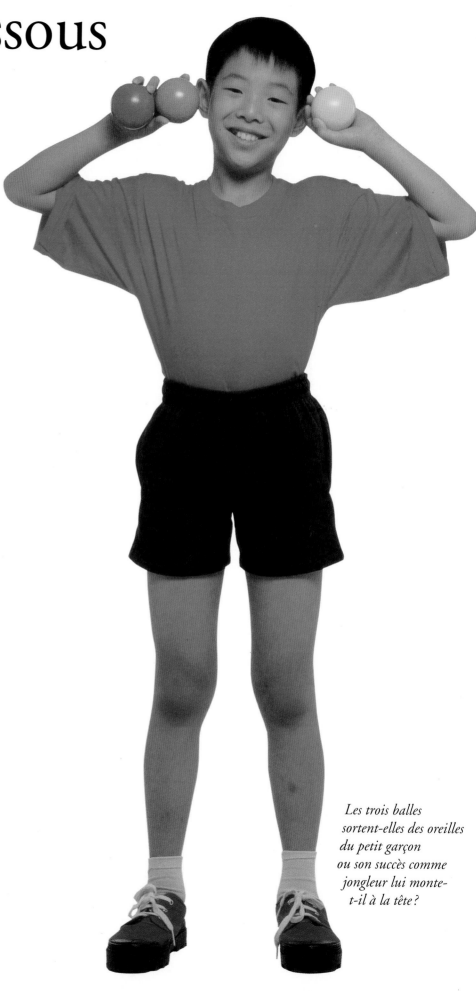

Les trois balles sortent-elles des oreilles du petit garçon ou son succès comme jongleur lui monte-t-il à la tête?

FOURNITURES

3 balles souples, balles en ballons ou sacs de riz

Conseil pratique

Si tu es gaucher, prends deux balles dans la main gauche et une dans la droite. Suis les instructions étape par étape mais sers-toi de ta main gauche quand la droite est mentionnée. À l'inverse, sers-toi de ta main droite quand la gauche est mentionnée.

1 **Sous la jambe.** Tiens deux balles dans la main droite et une dans la gauche. Lève la jambe droite, comme indiqué et reprends ton équilibre.

2 Mets la main droite sous ta jambe et lance la balle verte en diagonale vers ta main gauche. Ne quitte pas la balle des yeux.

3 Quand la balle verte est à mi-hauteur, lance la balle bleue de la main gauche, en diagonale vers la main droite. Attrape la balle verte avec la main gauche.

4 Attrape la balle bleue avec la main droite. Continue à jongler normalement (voir pages 206 et 207) en lançant les balles sous la jambe et non en diagonale au-dessus de la tête.

5 **Par-dessus l'épaule.** Tiens deux balles dans la main droite derrière le dos et une balle dans la gauche. Regarde par-dessus l'épaule, comme indiqué. Reste décontracté.

6 Lance la balle jaune de ta main droite vers le haut pour qu'elle retombe par-dessus ton épaule gauche. Ramène ta main droite par-devant.

7 Quand la balle jaune retombe, lance la balle verte de la main gauche, en diagonale vers la main droite. Attrape la balle jaune avec la main gauche.

8 Attrape la balle verte avec la main droite. Commence alors à jongler normalement, mais lance les balles par-dessus ton épaule.

Quand tu réussiras parfaitement cet exercice, tu pourras le faire avec des massues. Essaye de ne pas t'assommer !

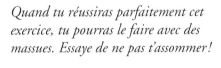

Le ballon-chien

Allez, il est temps de faire ton premier modèle !
Celui-ci devrait ressembler à un chien,
mais ne t'inquiète pas si ta première tentative
fait plus songer à une grappe de raisin !

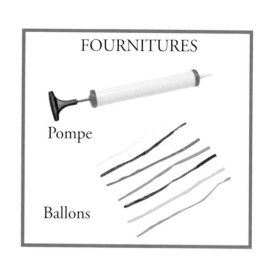

FOURNITURES

Pompe

Ballons

1 Gonfle et noue un ballon, en laissant une extrémité non gonflée de 10 cm. En partant de l'extrémité nouée, tords le ballon pour faire trois bulles de 8 cm. Tiens fermement le ballon.

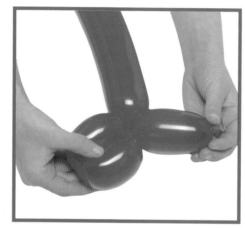

2 Pour faire les oreilles, entortille les deuxième et troisième bulles l'une autour de l'autre. Les bulles sont alors fixées. La première forme la tête et le nez du chien.

3 Fais trois autres bulles un peu plus grandes. Entortille les deuxième et troisième bulles l'une autour de l'autre, pour former les pattes de devant.

4 Fais trois bulles à l'autre extrémité du ballon, la première de 8 cm, les deux autres un peu plus grandes. Entortille les deuxième et troisième bulles l'une autour de l'autre pour faire les pattes de derrière. La bulle d'extrémité forme la queue du chien.

Pour faire d'autres races de chien, comme le basset au long corps et bas sur pattes, il suffit de changer la longueur des bulles.

Le perroquet perché

Ce perroquet remporte un vif succès.
Quand il n'est pas sur son perchoir,
tu peux le poser sur ton épaule.

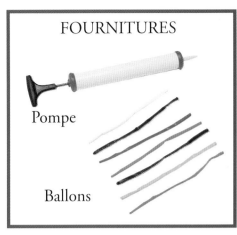

FOURNITURES

Pompe

Ballons

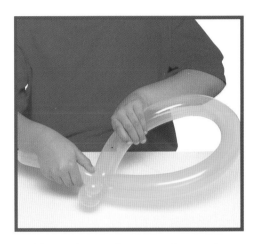

1 Gonfle complètement un ballon et noue l'extrémité. Fais une petite bulle à l'extrémité nouée pour former le bec du perroquet.

2 Tire le nœud et la bulle vers le bas, le long du reste du ballon. Entortille et fixe le nœud autour du ballon pour former une autre bulle un peu plus grande. La première bulle est le bec et la seconde la tête.

3 Tu te demandes ce qui va suivre, mais ne t'inquiète pas, tout ira bien. Forme une grande boucle. Entortille-la au-dessous de la tête en laissant dépasser une queue de 16 à 20 cm.

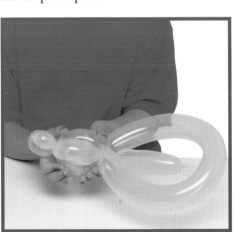

4 Voici la partie la plus difficile : bonne chance! Place la queue au milieu de la boucle. Pince et entortille la queue et les deux côtés de la boucle ensemble, à peu près à 8 cm au-dessous de la tête, pour former le corps et les ailes du perroquet. Maintenant, il ne te reste plus qu'à l'installer sur un perchoir.

Ce perroquet sur un perchoir est très décoratif. Accroche-le au mur ou au plafond de ta chambre à l'aide d'une ficelle que tu fixeras au sommet du perchoir.

Le gros éléphant

Voici un superbe éléphant avec un long nez.
Si tu veux, tu peux faire des oreilles
plus grandes et une trompe plus courte :
ton éléphant sera tout aussi drôle !

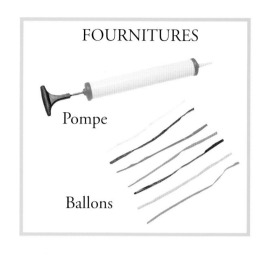

FOURNITURES

Pompe

Ballons

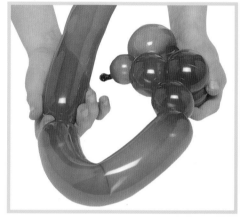

1 Pour cet éléphant, tu commences par la queue et tu remontes vers la tête. Gonfle le ballon en laissant une extrémité non gonflée de 8 cm. Noue-le. Tords le ballon pour faire une première bulle de 2,5 cm de long et deux autres de 4 cm.

2 Fixe les deux grandes bulles en les tordant pour former les pattes de derrière. La petite bulle forme la queue de l'éléphant. Fais encore trois bulles de 4 cm chacune, pour le corps et les pattes de devant. Maintiens-les pour les tordre.

3 Fixe les deux bulles du bout en les tordant pour former les pattes de devant. Fais une bulle de 2,5 cm et une de 11 cm pour faire la trompe et une oreille. Tords la longue bulle autour de la petite.

4 Fais une autre bulle de 11 cm et tords-la autour de la bulle du cou pour former l'autre oreille de l'éléphant. Incurve légèrement le reste du ballon pour former une énorme trompe.

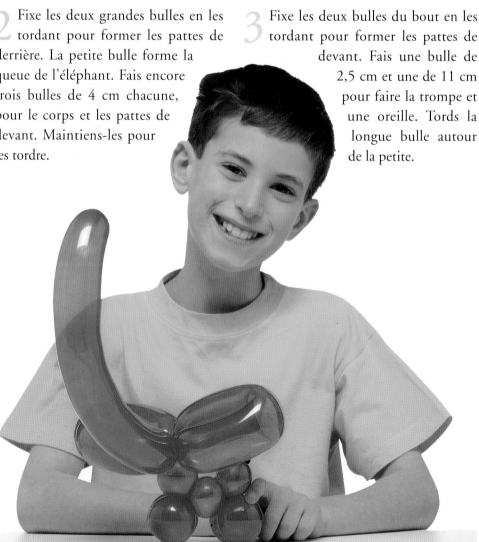

La petite souris

Sais-tu que les éléphants craignent les souris ? C'est amusant de penser qu'un si gros animal peut avoir peur d'une mignonne petite souris !

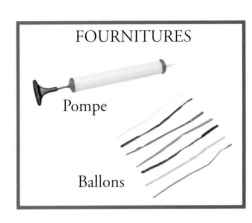

FOURNITURES

Pompe

Ballons

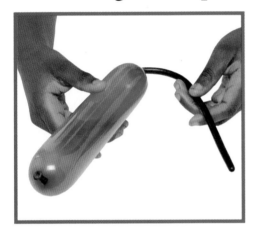

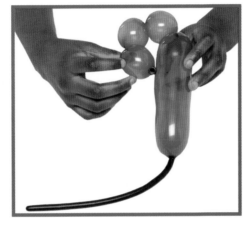

1 Pour une petite souris, tu n'as besoin que d'un petit ballon. Aussi ne gonfle qu'un tiers du ballon en laissant une longue extrémité non gonflée. Fais un nœud à l'extrémité.

2 Pour former la tête, fais trois petites bulles de 3 cm de long environ. Entortille et bloque ensemble les deuxième et troisième bulles, de façon à représenter les oreilles. La première bulle forme la tête et le nez.

3 De nouveau, fais trois petites bulles de la même taille pour former le cou et les pattes de devant. Entortille et bloque les deuxième et troisième bulles comme précédemment.

4 Devine ce qu'il faut faire : encore trois bulles ! Entortille-les et bloque-les pour former le corps et les pattes arrière. Le reste du ballon formera la queue de la souris.

Fais toute une famille de petites souris avec des ballons de couleurs différentes.

Le roi de cœur

Avec cette couronne sur la tête, tu ressembleras au roi de cœur. Tu n'es pas obligé d'ajouter un ballon en haut de ton chapeau, mais pourquoi pas ? Tu peux ajouter un ballon rond, en spirale, et même des rubans. Laisse libre cours à ton imagination !

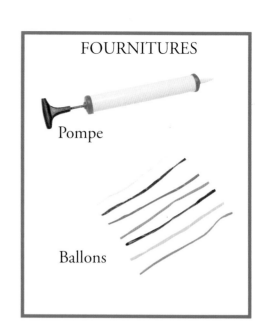

FOURNITURES

Pompe

Ballons

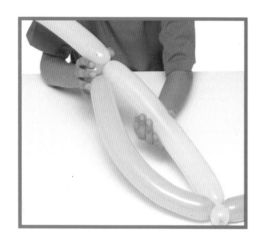

1 Gonfle à fond deux ballons et entortille-les ensemble pour former un bandeau. Assure-toi que les extrémités qui dépassent du bandeau sont de la même longueur.

2 Entrecroise et entortille les deux extrémités libres à un peu moins de la moitié de leur longueur.

Pourquoi ne pas faire des chapeaux-ballons avec tes amis afin de voir lequel d'entre vous est le plus imaginatif et le plus farfelu ?

3 Fais une petite bulle au bout de l'une des extrémités libres. Entortille-la sur le bandeau, à mi-parcours de l'un des côtés.

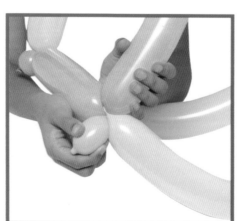

4 Fais une bulle à l'autre extrémité libre. Tords-la autour du bandeau, à mi-longueur du côté opposé. Te voilà couronné roi !

L'épée magique

Quelle est l'épée qui ne peut même pas couper le beurre? Celle que tu t'apprêtes à fabriquer! Au moins, tu ne risques pas de blesser quelqu'un. Et pourquoi ne pas t'enrouler un ballon autour de la taille pour faire un ceinturon dans lequel tu glisseras l'épée?

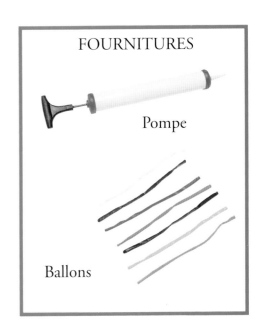

FOURNITURES

Pompe

Ballons

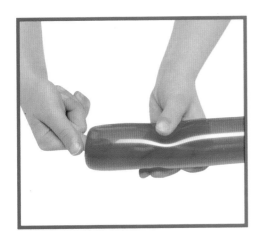

1 Gonfle un ballon en laissant une extrémité non gonflée de 8 cm. Noue l'extrémité. Pousse le nœud à l'intérieur du ballon sur 4 cm et maintiens-le en place. Avec l'autre main, serre le ballon autour du nœud puis tords-le pour fixer le nœud en place.

2 Tords le ballon pour faire deux bulles. La première forme la poignée. La seconde, plus longue, représente un tiers de la garde de l'épée. Plie la longue bulle et tords-la autour de la première.

3 Pour faire un autre tiers de la garde de l'épée, tords le ballon en le fixant autour de la poignée, comme indiqué. Si tu fais les bulles de la garde trop longues, la lame de l'épée risque d'être trop courte!

Souviens-toi que les épées-ballons éclatent facilement. Aussi, manie-la avec beaucoup de précaution.

4 Fais de même la dernière partie de la garde de l'épée.

Des tours fous

Épate tes amis avec ces tours de passe-passe,
mais ne dévoile tes secrets à aucun prix !

FOURNITURES

Pompe

Ballons

Ciseaux

*Aie toujours un autre ballon prêt
pour ce tour pour le cas où tes amis
te demanderaient de l'exécuter
une nouvelle fois.*

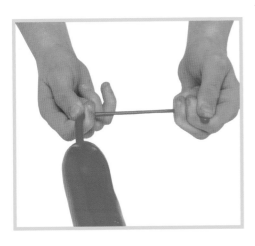

1 **La bulle.** Pour te préparer à exécuter le premier tour, gonfle un ballon en laissant une longue extrémité non gonflée. Pince le bout de cette partie non gonflée avec les deux mains, et étire-la à plusieurs reprises. Vas-y, tire fort!

2 Pour exécuter le tour, forme une bulle de 6 à 8 cm de long à l'extrémité du ballon et tiens-la dans ta main. Demande au public ce qui va arriver si tu presses la bulle…

3 Presse la bulle très fort. Tu devrais obtenir une autre bulle au bout de la queue du ballon. Si ce n'est pas le cas, étire le ballon un peu plus et tente de nouveau ta chance.

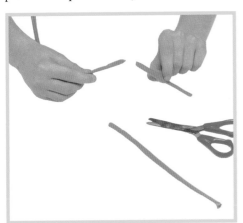

4 **Le ballon magique.** Prends deux ballons non gonflés de la même couleur et coupe l'extrémité de l'un deux avec des ciseaux. Glisse la partie coupée sur l'extrémité du ballon entier.

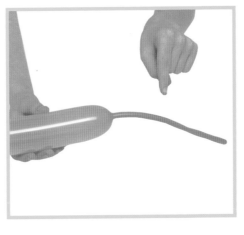

5 Dis à tes amis que tu vas faire un tour avec ton ballon magique. Gonfle le ballon, sans gonfler l'extrémité et en laissant un espace entre la vraie et la fausse extrémité.

6 Tiens d'une main le ballon gonflé et, de l'autre, la fausse extrémité. Annonce que le ballon est trop long et que tu vas le raccourcir. Tire rapidement sur la fausse extrémité.

7 Tes amis seront stupéfaits de voir que le ballon ne s'est pas dégonflé!

Préparation

Tu dois t'entraîner à faire ces tours avant de te présenter devant un public et savoir ce que tu vas lui dire. N'oublie pas que certaines phases du tour ne doivent pas être vues du public.

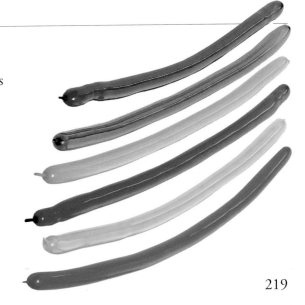

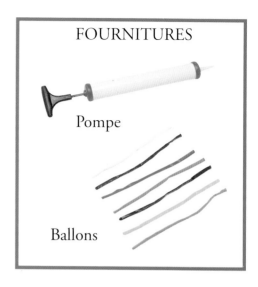

Les tulipes

Quel beau bouquet ! Ces ballons-fleurs durent beaucoup plus longtemps que les vraies tulipes et il n'est pas nécessaire de les arroser ! Attache un ruban de couleur autour des tiges pour les offrir.

FOURNITURES

Pompe

Ballons

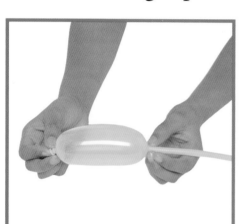

1 Ne gonfle que 8 cm du ballon en laissant une très longue extrémité pour la tige. Maintenant, tiens les deux extrémités de la partie gonflée du ballon en plaçant un doigt sur le nœud.

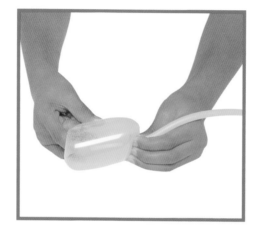

2 Pousse le nœud avec le doigt à l'intérieur du ballon, jusqu'à ce qu'il arrive à l'autre extrémité de la partie gonflée. Ce n'est pas facile, n'abandonne pas après le premier essai.

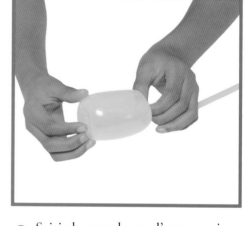

3 Saisis le nœud avec l'autre main et retire ton doigt. En tenant toujours le nœud pour le maintenir en place, entortille le ballon sur lui-même à plusieurs reprises. Maintenant, tu aperçois une fine bande qui passe à travers le milieu du ballon.

4 Tu peux maintenant faire tout un bouquet de jolies tulipes.

Si tu veux que tes tulipes se tiennent droites, glisse une fine paille en plastique à l'intérieur des ballons avant de les gonfler.

Les tournesols

Ces tournesols-ballons sont aussi gros que de vrais tournesols. Mais, contrairement à ces derniers, ils ne se tournent pas vers le soleil ! Fais deux ou trois fleurs pour décorer ta chambre.

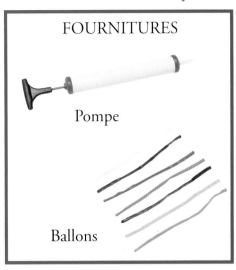

FOURNITURES

Pompe

Ballons

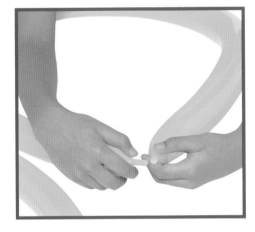

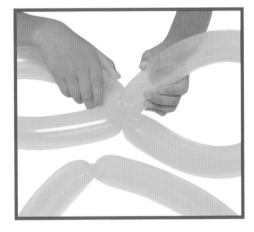

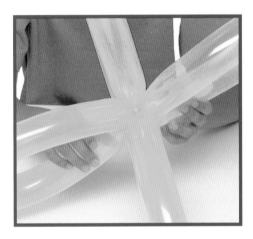

1 Gonfle deux ballons en ne laissant qu'une toute petite extrémité non gonflée pour chacun d'eux. Noue les extrémités ensemble de façon à obtenir deux grands cercles.

2 Tu vas entendre les ballons crisser ! Tords chaque cercle pour former un huit dont les deux parties doivent être égales.

3 Entortille ensemble les deux huit par le milieu pour former une croix. Ce sont les pétales.

4 Gonfle un autre ballon en ne laissant cette fois encore qu'une petite extrémité non gonflée. Fais une boucle au milieu du ballon et une autre à côté de la première. Maintenant, tu as la tige et deux feuilles.

Pour finir, insère l'extrémité de la tige entre les pétales et entortille-la pour la fixer dans cette position.

La maison de ballons

Cette maison a beaucoup de succès et elle est vraiment amusante à construire. Laisse libre cours à ton imagination et ajoute des pièces ou fais des portes-ballons, des fenêtres-ballons, des arbres-ballons et des réverbères-ballons. Ta maison sera aussi grande que tu le souhaites, mais n'oublie pas qu'elle ne sera pas très chaude en hiver et que tu seras trempé lorsqu'il pleuvra !

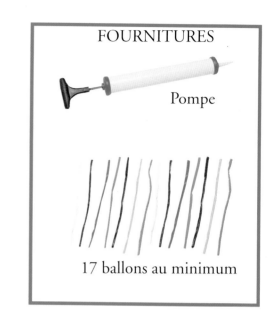

FOURNITURES

Pompe

17 ballons au minimum

La maison ci-contre est multicolore, mais tu peux également construire une maison avec des murs faits de ballons rouges et un toit en ballons noirs, ou imaginer toute autre combinaison de couleurs.

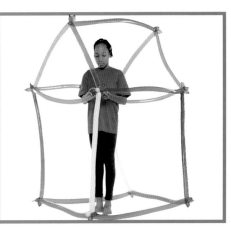

1 Gonfle à fond 17 ballons : il s'agit ici d'une maison grand modèle ! Commence par tordre ensemble les extrémités pour former deux carrés. Tu as déjà utilisé huit ballons, il ne t'en reste plus que neuf !

2 Utilise quatre ballons de plus pour relier les deux carrés et former un cube. Entortille les extrémités pour faire tenir l'ensemble.

3 Attache un ballon aux quatre coins du cube, en haut. Entortille ces ballons ensemble pour former deux triangles. Ajoute un dernier ballon entre les deux triangles pour compléter ta maison.

Après avoir créé ta première maison, imagine d'autres modèles, tel ce tipi.

4 Bravo ! Maintenant, tu peux ajouter d'autres pièces si cela te tente, ou encore faire des fenêtres-ballons ou des portes-ballons.

Clac ! La maison de tes rêves a disparu !

Avant de construire ta maison, vérifie que le sol est lisse et sans échardes. Si l'un des ballons éclate, la maison s'effondrera. Ce ne serait pas une mauvaise idée de recouvrir le sol avec un vieux drap avant de commencer à gonfler les ballons.

Farces et tours
de magie

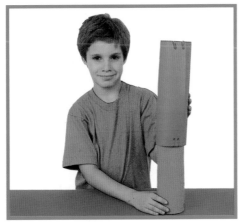

Nick Huckleberry Beak

Introduction

Pour épater ton public, trois points sont essentiels : la préparation, la présentation et le spectacle.

Préparation

Pour éviter de t'apercevoir, au milieu d'un tour particulièrement difficile, qu'il te manque un accessoire indispensable, tu dois bien tout préparer. Tout ton matériel doit se trouver à portée de main. Pour cela, le seul moyen est de dresser la liste des accessoires nécessaires pour chaque tour. À mesure que tu les rassembles, coche-les sur la liste. C'est simple mais ça marche. As-tu fait ta liste ? Non ? Alors, dépêche-toi.

Présentation

Cela concerne ton costume et la façon de te tenir en scène et de t'adresser à ton auditoire. La présentation est très importante si tu veux que ton numéro soit un grand succès. Pour plus de détails, reporte-toi au paragraphe Style magique.

Le spectacle

Tu as décidé de donner une représentation. Félicitations ! La première chose à faire est de choisir les tours que tu veux présenter et leur ordre de succession. Il n'y a aucune règle pour cela, mais rappelle-toi qu'un spectacle court avec de nombreux tours vaut mieux qu'une longue représentation comportant seulement quelques longs tours.

La meilleure façon de donner de l'ambiance à ton spectacle est un accompagnement musical. Essaye d'associer la musique à ton tour. Si tu enchaînes rapidement des tours, choisis une musique enlevée. Si tu tiens ton public en haleine avec plein d'effets de surprise, trouve une musique de film de suspense !

Si tu n'as pas de musique, il te faudra écrire un scénario et apprendre ton rôle par cœur. Tu peux introduire chaque tour par une petite histoire ou en raconter pendant que tu prépares un autre tour, mais travaille minutieusement ce que tu vas dire.

Style magique

Même si tu réalises les tours de magie les plus difficiles, ton spectacle n'aura aucun succès si ta présentation est ennuyeuse. Pour que ton public apprécie, il faut que tu aies un style bien à toi. Le problème, c'est que cela ne se trouve pas tout prêt en magasin ! Mais tu peux apprendre facilement les secrets d'une bonne présentation.

Détourne l'attention du public de ce que tu es en train de faire réellement en lui montrant tes mains vides ou divers objets !

Le tour est dans le sac (ou plutôt dans l'enveloppe) parce que cette magicienne a tout préparé soigneusement.

Ce garçon a tout compris : il fait un charmant sourire, porte son chapeau favori et s'apprête à faire un grand salut.

Mon dernier secret est de faire un petit salut quand tu as fini un tour, pour prévenir le public que le tour est terminé. À la fin du spectacle, tu feras un grand salut, le public applaudira et demandera un autre tour !

Tu es là pour t'amuser

C'est le point essentiel : si tu affiches un grand sourire et parais t'amuser, le public s'amusera aussi. Aie confiance en toi et essaye d'être détendu. Quand tu t'adresses au public, parle fort et distinctement. Personne n'entendra tes plaisanteries si tu marmonnes dans ta barbe.

Attitude professionnelle

Si le public te demande de recommencer un tour ou veut savoir le « truc », refuse poliment. Si tu donnes tous tes secrets, il faudra que tu en apprennes d'autres et un tour fait une seconde fois n'a jamais autant de succès.

Prends parfois l'air aussi surpris que le public !

Le costume

Le magicien traditionnel porte un élégant costume avec un nœud papillon et une grande cape, mais n'importe quelle tenue peut convenir. Un gilet coloré et un jeans feront très bien l'affaire, cependant rien ne t'empêche d'élaborer un costume de scène. L'essentiel est que tu te sentes à l'aise et ton spectacle sera réussi.

Présence sur scène

Si tu veux réussir, tu dois connaître les secrets de la profession. Le premier est de toujours entrer sur scène par le côté ou le fond de celle-ci. Avance-toi vers le milieu en souriant et attends les applaudissements.

Tu dois ensuite te présenter au public. Tu peux donner ton vrai nom ou inventer un nom de scène.

Tu dois toujours faire face au public. Il faut par conséquent que ton matériel soit à portée de main. Les spectateurs ne sont pas venus pour te voir fouiller dans une boîte à malice !

Le quatrième secret est le suivant : si tu fais une erreur ou si tu rates un tour, le seul moyen de t'en sortir est d'en rire. Tu peux prétendre avoir fait exprès. Recommence le tour mais, cette fois, réussis-le.

Fournitures

Voici l'essentiel des fournitures et du matériel dont tu auras besoin.

▲ **Papier carbone.** Placé entre deux feuilles de papier, côté encré vers le bas, il permet de copier tout ce qui est écrit sur la feuille supérieure.

▲ **Papier et bristol blancs et de couleur.** Pour plusieurs tours, tu peux recycler des feuilles de papier et du carton découpés dans de vieilles boîtes de céréales. Les grandes feuilles de bristol s'achètent dans les papeteries ou les boutiques d'artisanat-loisirs.

▲ **Feutre marqueur.** Stylo-feutre qui trace des lignes épaisses. Tu peux le remplacer par un feutre ordinaire.

▲ **Trombones.** Indispensables à tout bon magicien.

▲ **Colle vinylique.** Colle permettant de coller le papier, le bois et le tissu. Achète-la dans les papeteries. Elle s'appelle aussi colle à bois, colle blanche ou colle à maquette. Pour l'appliquer, sers-toi d'un pinceau spécial.

▲ **Boîtes recyclées.** Pour les tours de ce chapitre, tu auras besoin de deux boîtes vides, une grande et une petite. Une boîte de céréales et une petite boîte de thé ou de chocolat feront l'affaire.

▲ **Élastiques.** Presque aussi important pour l'apprenti magicien que les trombones. Tu trouveras des sachets d'élastiques assortis dans les papeteries.

▲ **Règle.** Pour certains tours, tu dois mesurer avec précision. Il te faut une règle divisée en centimètres (cm).

▲ **Ciseaux à bouts ronds.** Ils sont plus petits que des ciseaux de couture. Les lames sont arrondies et moins coupantes que celles des ciseaux normaux.

▲ **Plastique adhésif.** Existe en nombreux coloris et motifs. On l'achète généralement en rouleau. Pour le coller sur une surface, il suffit de retirer le papier protecteur et d'appuyer en lissant avec la main.

▲ **Ficelle.** Peu importe la couleur de la ficelle, l'essentiel est d'en avoir en quantité.

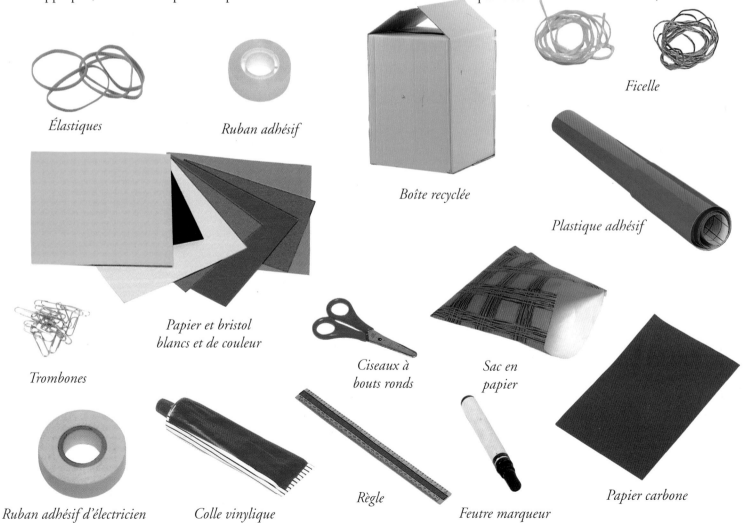

Élastiques

Ruban adhésif

Ficelle

Boîte recyclée

Plastique adhésif

Papier et bristol blancs et de couleur

Trombones

Ciseaux à bouts ronds

Sac en papier

Ruban adhésif d'électricien

Colle vinylique

Règle

Feutre marqueur

Papier carbone

Matériel

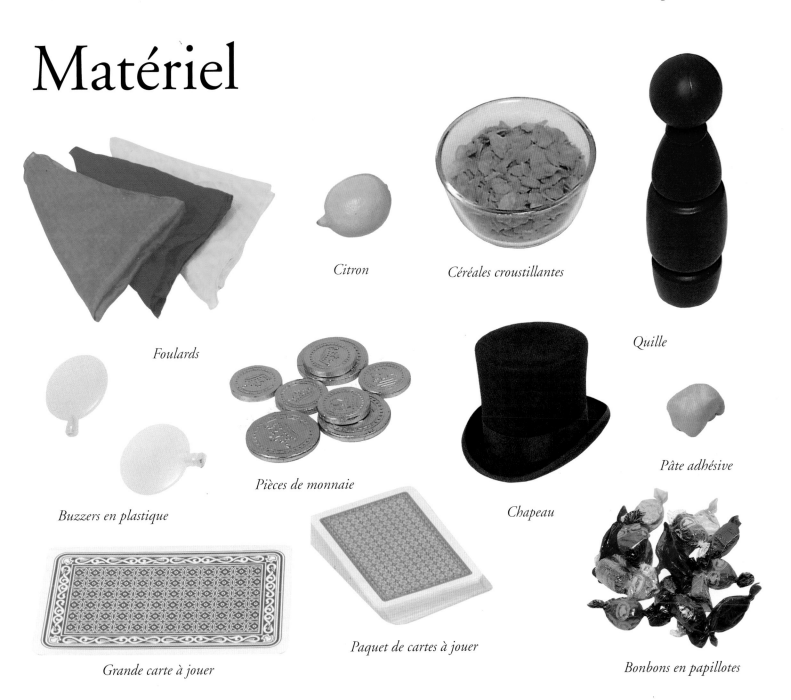

Foulards

Citron

Céréales croustillantes

Quille

Buzzers en plastique

Pièces de monnaie

Pâte adhésive

Chapeau

Grande carte à jouer

Paquet de cartes à jouer

Bonbons en papillotes

⌃ **Pièces de monnaie.** Tu peux prendre des vraies pièces ou des pièces pour jouer. Il te faudra cinq pièces de monnaie.

⌃ **Céréales croustillantes.** Prends des céréales avec de grands pétales croustillants.

⌃ **Chapeau.** Tous les magiciens ont un chapeau! Cela peut être un élégant haut-de-forme, ta casquette de base-ball favorite, ou même un chapeau de soleil fantaisie.

⌃ **Grande carte à jouer.** Elle fait environ quatre fois la taille d'une carte normale. Tu la trouveras dans les boutiques de jouets et de farces et attrapes.

⌃ **Citron.** Tu peux en utiliser un vrai ou un faux pour faire la boîte à malice.

⌃ **Buzzers.** Ce sont des petits disques en plastique qui couinent quand tu appuies dessus. Tu les trouveras à bon marché dans les magasins de jouets et de farces et attrapes.

⌃ **Cartes à jouer.** Le paquet consiste en 52 cartes plus deux jokers. Il comprend quatre séries, pique, cœur, carreau, trèfle, deux noires et deux rouges, numérotées de l'as au roi. Pour faire tous les tours, il te faudra deux paquets de cartes. Tu les trouveras à bon marché dans les magasins de jouets et les papeteries.

⌃ **Foulards.** Il te faut des grands ou des petits foulards en soie (ou des mouchoirs), de préférence colorés et à motifs.

⌃ **Quille.** Elle provient d'un simple jeu de quilles en plastique.

⌃ **Pâte adhésive.** Cette pâte réutilisable sert à fixer les posters aux murs. Achète-la dans les papeteries.

⌃ **Bonbons en papillotes.** Il te faudra quelques bonbons enveloppés dans du papier d'argent ou de la cellophane. Ne les mange pas avant d'avoir terminé ton tour.

La pièce manquante

Conseil pratique

Tu peux remplacer le ruban adhésif par du double face. Les petites pièces sont plus faciles à dissimuler que les grandes qui, de plus, sont trop lourdes pour le ruban adhésif. Tu peux les remplacer par des pièces en plastique.

Ce tour est l'un des préférés des magiciens. Sais-tu pourquoi ? Parce qu'il ne rate jamais. La paume de ta main doit rester cachée pendant le tour pour que le public ne devine pas ton secret.

FOURNITURES ET MATÉRIEL NÉCESSAIRES

5 petites pièces de monnaie de même taille

Ruban adhésif solide et transparent

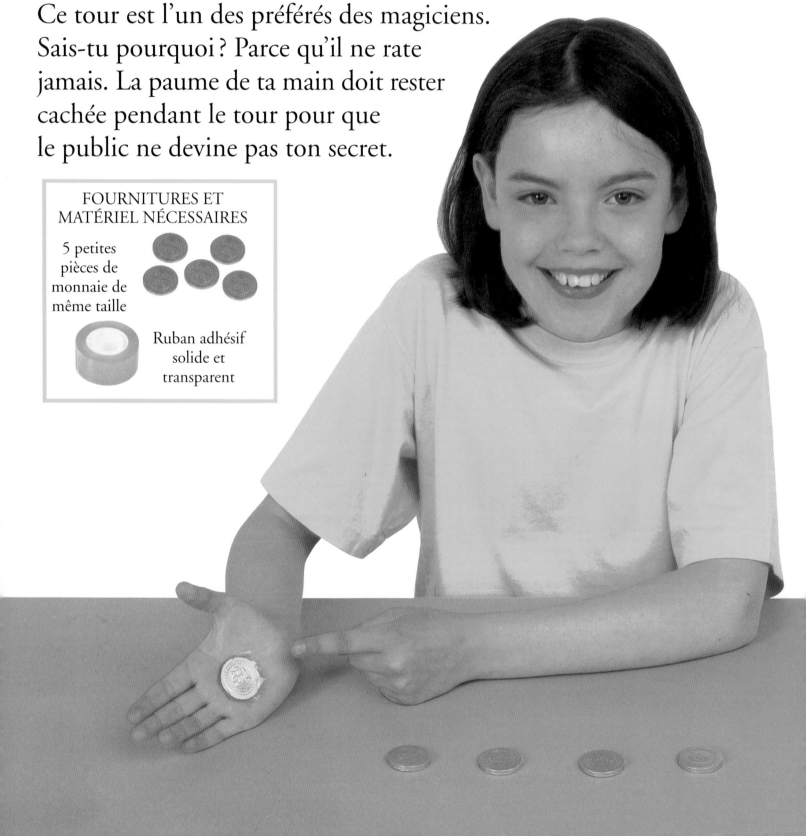

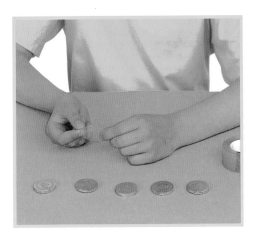

1 Coupe un morceau de ruban adhésif de 5 cm. Superpose les extrémités, côté collant vers l'extérieur, pour former une boucle. Pose les cinq pièces devant toi sur la table.

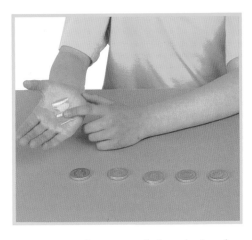

2 Appuie fermement la boucle de ruban adhésif sur ta paume. Personne ne doit te voir faire ce geste. Le tour peut commencer.

3 Compte les pièces tout haut, une par une, en parlant fort et en les empilant l'une sur l'autre. Demande au public de compter avec toi.

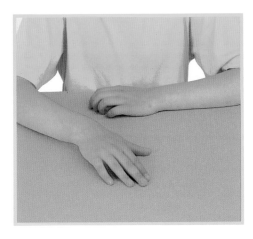

4 Appuie la main qui abrite le ruban adhésif sur la pile de pièces. Dis ta formule magique et retire ta main. La pièce du dessus restera collée dans ta paume.

5 Laisse la main qui tient la pièce à plat sur la table. Avec l'autre main, étale les pièces et compte-les tout haut. Surprise! il ne reste que quatre pièces!

Garde ton secret!

Dans ce tour, la pièce manquante reste manquante. Tu ne dois pas révéler où se trouve la cinquième pièce. Retire discrètement la pièce et le ruban adhésif lorsque tu remets les autres pièces dans ta poche ou dans ta boîte à malice.

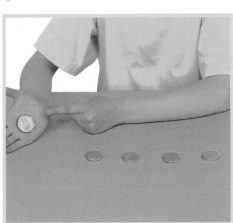

6 Bien entendu, la cinquième pièce est toujours collée sur ta paume.

Les tubes à malice

Voici un autre tour de magie classique.
Tu devras déplacer un
mouchoir d'un tube à l'autre
pour donner l'impression
que les deux sont vides.
Enfin, à la surprise de ton
public, tu sortiras le
mouchoir des tubes vides.

FOURNITURES ET
MATÉRIEL NÉCESSAIRES

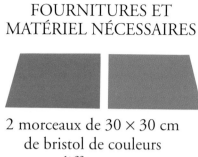

2 morceaux de 30 × 30 cm
de bristol de couleurs
différentes

Élastique   Petit mouchoir

9 trombones

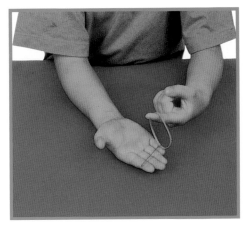

1 Les étapes 1, 2 et 3 montrent la préparation du tour. Roule le bristol en tube. Un des tubes doit être plus étroit que l'autre, de façon à pouvoir se glisser à l'intérieur. Maintiens les tubes avec huit trombones.

2 C'est grâce à un trombone que tu peux réussir ce tour. Déplie le trombone pour obtenir un crochet à chaque extrémité. Attache un élastique à l'un d'eux. Roule le mouchoir et glisse-le dans l'élastique.

3 Accroche l'autre extrémité du trombone dans le haut du tube étroit. L'élastique et le mouchoir se trouveront à l'intérieur du tube. Assure-toi que le mouchoir est complètement dissimulé.

4 Maintenant tu peux faire le tour ! Tiens le gros tube de façon à ce que le public voie qu'il est complètement vide : ce n'est pas bien difficile puisqu'il l'est réellement !

5 Prends le tube étroit et glisse-le doucement dans le gros tube. Le trombone qui tient le mouchoir va s'accrocher tout seul sur le gros tube.

6 Retire le tube étroit par le bas du gros tube. Puis, d'un grand geste, lève le tube pour montrer au public qu'il est vide.

7 Pose le tube étroit sur la table. Glisse le gros tube sur le tube étroit. Le mouchoir va tomber à l'intérieur de ce dernier. Adresse-toi alors au public : « De ces deux tubes vides, je vais par magie faire sortir un mouchoir. » Tire le mouchoir de l'intérieur du tube étroit, attends les applaudissements et salue !

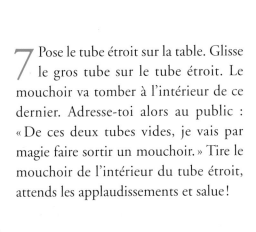

233

La boîte magique

Cette boîte magique joue de drôles de tours.
Un, la boîte est vide, deux, elle est pleine.
Toi seul connais le secret de cette boîte
qui peut tout contenir, un citron, un paquet
de cartes ou un éléphant ! Si tu tires un
éléphant de la boîte,
tu devras l'appeler boîte
magique trompeuse !

Entraîne-toi

Pour réussir ce tour, il faut beaucoup
t'entraîner. Il doit te devenir si familier
que le public ne s'apercevra même pas
que tu fais tourner la boîte à l'étape 8.
Un seul faux mouvement et tout le
monde verra tomber le citron. Pour
faire beaucoup d'effet, demande à
un spectateur de te prêter sa montre,
son portefeuille ou ses lunettes de
soleil. Le public sera
stupéfait de les voir
disparaître et
réapparaître.

FOURNITURES ET MATÉRIEL NÉCESSAIRES

1 petite boîte

1 grande boîte

Ruban adhésif

Règle

Ciseaux

Feutre marqueur

Colle vinylique

Citron

Plastique adhésif

1 Ferme les extrémités des boîtes avec du ruban adhésif. Trace une ligne à la règle et au feutre marqueur sur les deux côtés courts et sur un long côté de la grande boîte.

2 Découpe soigneusement le long de ces lignes, pour faire un couvercle à charnière sur la grande boîte.

3 Fais de même sur l'autre côté de la grande boîte, mais cette fois la « charnière » doit se trouver à l'opposé de la première.

4 Fixe avec du ruban adhésif ou colle la petite boîte sur l'intérieur de l'un des couvercles à charnière. Le dessus ouvert de la petite boîte doit s'aligner avec la charnière de l'autre couvercle.

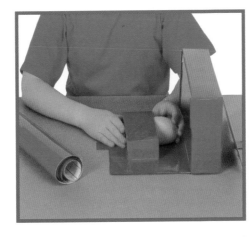

5 Recouvre la boîte de plastique adhésif. Coupe deux languettes de plastique. Colle-les sur le bord extérieur des couvercles, replie-les et colle-les sur le bord intérieur. Mets le citron dans la petite boîte.

6 Maintenant tu es prêt à faire le tour ! Mets la boîte sur la table, le couvercle contenant le citron dans le bas, la languette vers toi. Tiens les deux languettes parce que tu vas ouvrir la boîte.

7 Lève la boîte et tire sur les languettes pour l'ouvrir. Dis au public : « Voyez ! La boîte est vide. » Pose la boîte sur la table.

8 Le couvercle avec le citron est dessous. Tourne la boîte, tiens la languette et soulève le couvercle. Montre le citron.

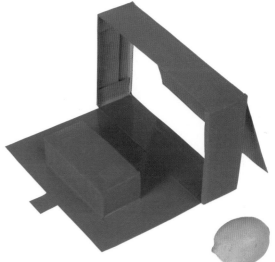

L'agrandissement

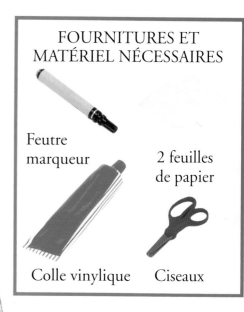

FOURNITURES ET
MATÉRIEL NÉCESSAIRES

Feutre
marqueur

2 feuilles
de papier

Colle vinylique   Ciseaux

J'ai préparé ce tour pour que tu puisses commencer ou terminer ton spectacle de façon spectaculaire. C'est une illusion très simple qui donne l'impression de l'agrandissement soudain de l'image. Suis attentivement les instructions de pliage pour ne pas te tromper.

*Voici le début du tour.
Tu montres l'image puis,
d'un mouvement rapide
du poignet, tu la présentes
en grand format.*

1 Pose le papier sur la table, le long côté vers toi. Dessine une grande image d'un bonhomme agitant la main. Comme tu dois refaire le dessin, il vaut mieux qu'il soit simple.

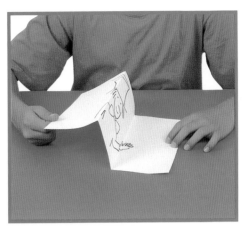

2 Tourne le papier pour que l'image se trouve à l'envers. Plie le papier en accordéon, le feuillet de droite étant plus grand que les deux autres et se trouvant contre la table, comme indiqué.

3 Plie le papier, pliure vers toi, pour que le feuillet du dessus soit un peu plus petit que le feuillet du dessous. Cela paraît compliqué mais en fait, c'est très simple.

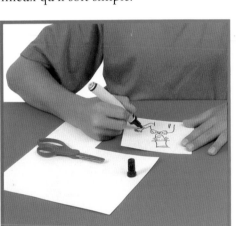

4 Prends l'autre feuille de papier et découpe un rectangle de la taille du feuillet du dessous du papier plié. Sur ce rectangle, recopie l'image qui se trouve sur le papier plié.

5 Colle cette image sur le dessus du grand feuillet. Le bas de l'image se trouve près du pli. Applique soigneusement la colle, sans dépasser sur les autres feuillets. Maintenant tu peux présenter l'agrandissement.

6 Tiens le papier comme indiqué, pli vers le bas et petit dessin vers le public. Pour empêcher le papier de se déplier, maintiens le feuillet avec ton petit doigt. Dis au public que tu vas le saluer de la main.

7 Tire rapidement sur les côtés pour que le papier plié se déplie et que la grande image apparaisse.

Sous leurs yeux, les spectateurs ont vu l'image s'agrandir. Si tu t'es bien entraîné et si tu es devenu très habile, ton public n'y verra que du feu !

La grande carte

Tu as peut-être souvent vu ce tour, mais maintenant c'est toi qui va le réaliser. Tu peux prendre le chiffre et la série de ton choix pour la grande carte, mais une carte de la même série et portant le même chiffre doit se trouver sur le dessus du paquet de cartes. Le chiffre des deux cartes fixées sur la grande carte doit lui être inférieur.

FOURNITURES ET MATÉRIEL NÉCESSAIRES

Paquet de cartes à jouer et 1 grande enveloppe

Pâte adhésive

Grande carte à jouer

Conseil pratique

Tu peux faire toi-même ta grande carte à jouer avec du bristol épais blanc et un stylo-feutre noir. Peu importe la série ou le chiffre, du moment qu'une carte identique se trouve sur le dessus du paquet.

1 Fixe avec un peu de pâte adhésive un 2 et un 4 de la série de ton choix sur l'envers du grand 10 de trèfle. Mets-les dans l'enveloppe. Vérifie aussi que le 10 de trèfle est bien la carte du dessus de ton paquet de cartes. Maintenant, tu peux commencer.

2 Demande à un spectateur de monter sur la scène et de couper le paquet de cartes. Pas avec des ciseaux bien sûr, mais en prenant une pile de cartes sur le dessus du paquet et en les posant à côté des cartes restantes.

3 Pose la moitié de dessous du paquet sur les autres cartes. Place-le à angle droit avec les cartes coupées pour que tu saches où le paquet a été coupé et où se trouve le 10 de trèfle. Annonce que tu vas montrer la carte mystérieuse.

4 Retire la partie supérieure de la pile et retourne la carte suivante. Sans la regarder, montre-la à ton invité. Dis-lui de la mémoriser. Tu sais qu'il s'agit du 10 de trèfle.

5 Demande à ton invité de battre les cartes, puis mets-les dans l'enveloppe. Celle-ci contient le grand 10 de trèfle et les deux autres petites cartes collées au dos.

6 Dis à ton invité que tu vas lui montrer la carte mystérieuse. Tire le 2 de l'enveloppe. Demande-lui s'il s'agit de la carte mystérieuse. La réponse est non. Demande ensuite : « Est-elle plus grande que celle-ci ? »

7 Procède comme à l'étape 6 mais cette fois tire le 4. C'est maintenant que tu vas surprendre et amuser ton public. Mets à nouveau la main dans l'enveloppe et tire le grand 10 de trèfle. Montre-le à ton invité et dis : « Est-elle assez grande ? », ce qui montre bien que tu avais toujours su que la carte choisie était le 10 de trèfle.

La double enveloppe

Pour que personne d'autre que le destinataire
ne lise les documents « Top Secret » que
tu envoies par la poste, utilise cette
double enveloppe. Elle possède
un compartiment secret que seuls
ton ami et toi connaissez.
Si quelqu'un d'autre l'ouvre,
l'enveloppe paraît vide.
Pour dérouter les indiscrets,
mets un faux message
dans l'enveloppe.

FOURNITURES ET MATÉRIEL NÉCESSAIRES

2 grandes
enveloppes identiques

Ciseaux

Bâton
de colle

1 Découpe le dessus d'une enveloppe et son rabat. Recoupe légèrement les bords de la partie coupée.

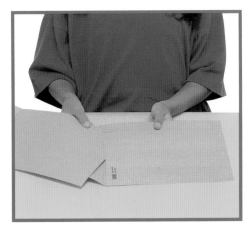

2 Glisse la partie coupée de l'enveloppe dans l'autre enveloppe. Les rabats des deux enveloppes doivent être alignés.

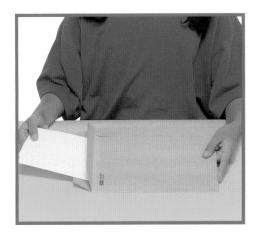

3 Mets ton message secret dans l'enveloppe, en le glissant dans l'ouverture entre les deux rabats.

4 Colle ensemble les deux rabats avec de la colle blanche, pour fermer le compartiment contenant le message.

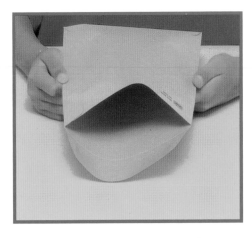

5 Si quelqu'un subtilise l'enveloppe et l'ouvre, il la croira vide ou lira un faux message.

6 Quant à ton ami(e), il ou elle sait très bien ce qu'il faut faire. Il suffit de soulever le rabat collé et de le fendre. Glisse la main dans le compartiment secret maintenant ouvert et sors le message « Top Secret ».

7 Le message doit être surprenant si l'on en juge par la tête que fait la destinataire.

La double enveloppe présente deux inconvénients : elle ne peut recevoir d'objets encombrants comme un livre ou un cadeau ; de plus, ton ami et toi devrez être discrets quand vous la préparerez et l'ouvrirez. Pour bien conserver ton secret, ne l'ouvre en présence de personne.

Voir l'invisible

Voici deux techniques qui te permettront de voir ce qui est invisible et de lire des messages qui ne t'étaient pas destinés. Pour la première, tu dois rapidement t'emparer du bloc-notes.

FOURNITURES ET
MATÉRIEL NÉCESSAIRES

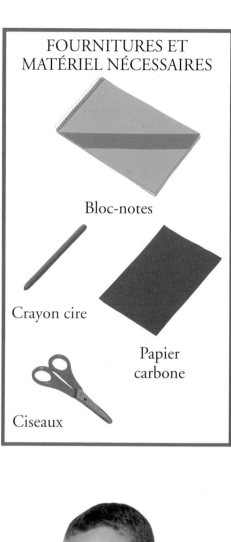

Bloc-notes

Crayon cire

Papier carbone

Ciseaux

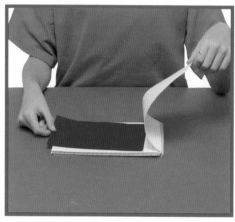

1 Méthode 1. Frotte doucement le crayon cire sur la première page du bloc-notes sur lequel le message a été écrit. Le message se révélera peu à peu.

2 Méthode 2. Pour intercepter un message, recoupe une feuille de papier carbone afin qu'elle soit plus petite que le bloc-notes. Soulève deux pages et pose le carbone, côté encré vers le bas.

3 Quand la personne a écrit son message et qu'elle est partie, retire le carbone. En dessous tu en trouveras une copie. Ne cherche pas à intercepter des messages vraiment personnels.

Alarmes bruyantes

Pop, crac, boum, pan! Quels sont ces bruits? Tout simplement l'alarme de ta chambre qui se déclenche. Parions que l'intrus en aura un choc!

FOURNITURES ET MATÉRIEL NÉCESSAIRES

Céréales croustillantes

2 buzzers en plastique

Conseil pratique

Tu devras changer souvent l'emplacement de tes alarmes si tu veux qu'elles restent efficaces.

1 Alarme 1. Même si cela semble bizarre, les céréales croustillantes sont parfaites pour donner l'alarme la nuit. Il suffit de laisser une pile de céréales devant la porte de ta chambre.

2 Quand un intrus marchera sur les céréales, tu les entendras éclater! Le visiteur inattendu se sauvera à toutes jambes.

3 Alarme 2. Si l'intrus passe à côté des céréales, pose un buzzer sous un tapis près de la porte et un autre sous le coussin d'une chaise (même les intrus peuvent avoir envie de s'asseoir!). Tu n'as plus qu'à attendre.

Quand tu entends le buzzer couiner, tu sais que tu n'as pas attrapé une souris mais un vilain curieux.

Le portefeuille truqué

Ouvre ce portefeuille, il est vide. Ouvre-le à nouveau et il contient un document secret ! Fais deux portefeuilles truqués identiques et tu pourras les échanger avec ton ami (avec les documents secrets) à l'insu de tous. Si tu fais un tour de magie avec ce portefeuille, distrais l'attention des spectateurs pour qu'ils ne se rendent pas compte que tu le retournes.

Conseil pratique

Si ce portefeuille te sert au tour de magie, il doit être assez grand pour que les spectateurs le voient bien. Si tu y passes des messages secrets, il doit pouvoir se glisser dans ta poche.

MATÉRIEL NÉCESSAIRE

Ruban adhésif d'électricien

Bristol de couleur

Règle

Ciseaux

Crayon

Bristol d'une couleur différente

1 Dessine trois rectangles de 20 cm × 8 cm sur le morceau de bristol et découpe-les. Tu peux faire un grand portefeuille en découpant trois rectangles plus grands.

2 Pose les rectangles côte à côte et assemble-les par du ruban adhésif d'électricien qui fera l'office de charnière, chaque rectangle de bristol pouvant ainsi se plier facilement.

3 Colle du ruban adhésif sur l'envers des charnières et à cheval sur les deux petits côtés restants, pour donner un aspect bien net.

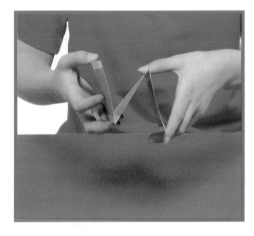

4 Plie le portefeuille en accordéon, comme indiqué. Pose-le sur la table et aplatis-le délicatement.

5 Pour essayer le portefeuille truqué, place un petit rectangle de bristol de l'autre couleur entre deux des feuillets. Referme-les. Retourne le portefeuille et ouvre-le. S'il est vide, tu as réussi le tour. Ferme le portefeuille.

Tour de magie

Si tu utilises le portefeuille truqué dans un tour de magie, les spectateurs ne doivent pas s'apercevoir que tu le retournes. Pour cela, distrais leur attention en faisant des grimaces ou en racontant une histoire drôle. Un bon magicien a toujours (entre autres !) quelques histoires drôles en réserve.

6 Retourne à nouveau le portefeuille et ouvre-le. Si tout va bien, il contient le morceau de bristol.

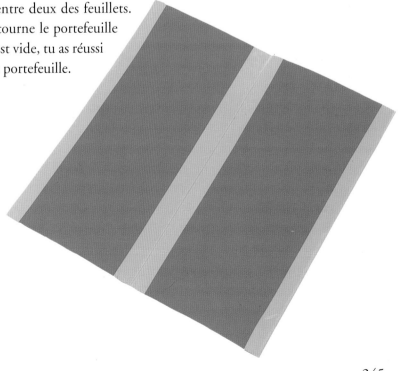

Le message caché

Tout le monde a entendu parler de messages dans une bouteille, mais toi et moi seulement savons comment envoyer des documents secrets dans des papillotes de bonbons. Le seul problème est de résister à la gourmandise. Si tu manges le bonbon truqué et que tu jettes la papillote, ton message restera un éternel secret !

Conseil pratique

Ne cache pas ton message dans une papillote de bonbon collant, il resterait collé au bonbon. Il vaut mieux utiliser des chocolats.

FOURNITURES ET MATÉRIEL NÉCESSAIRES

Crayon ou stylo

Feuille de papier

Ciseaux

Ruban adhésif

Sac en papier

Bonbons en papillotes

1 Coupe un morceau de papier de la taille de la papillote du bonbon. Écris ton message dessus.

2 Défais la papillote d'un bonbon et pose ton message à l'intérieur. Ne mange pas encore le bonbon !

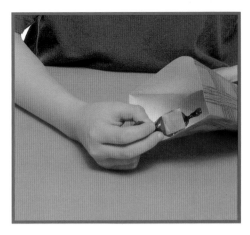

3 Pose le bonbon sur le message et la papillote. Enferme à nouveau le bonbon.

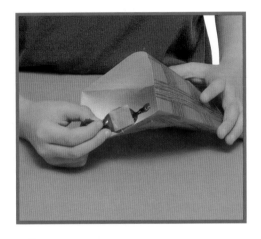

4 Fais une boucle avec un petit morceau de ruban adhésif, côté collant vers l'extérieur. Colle la boucle sur le bonbon puis colle le bonbon sur l'intérieur du sac en papier, à mi-hauteur du sac.

5 Remets le reste des bonbons dans le sac, en faisant attention de ne pas déloger le bonbon secret. Personne ne pourra imaginer que tu transportes un document de la plus haute importance dans un paquet de bonbons.

6 Quand tu veux donner ton message à ton meilleur ami, il te suffit de vider le paquet. Tu peux même demander à tes autres copains s'ils veulent un bonbon. Non seulement tu es très malin mais aussi très généreux !

7 Ton message secret est bien là, toujours collé à l'intérieur du sac. Offre-le à ton meilleur ami, qui le mangera en lisant le message.

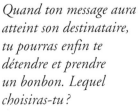

Quand ton message aura atteint son destinataire, tu pourras enfin te détendre et prendre un bonbon. Lequel choisiras-tu ?

La lettre surprise

Tu veux faire une farce à quelqu'un ?
Pour cela, il te faut simplement du papier,
deux élastiques,
des trombones et
du ruban adhésif.
La lettre surprise est
si facile à réaliser que
tu peux en envoyer
une à chacun de
tes amis. Mais
resteront-ils
tes amis
ensuite ?

FOURNITURES ET MATÉRIEL NÉCESSAIRES

1 petite enveloppe

Ruban adhésif

Feuille de papier ou de bristol mince

2 petits élastiques

3 trombones

Feutre marqueur

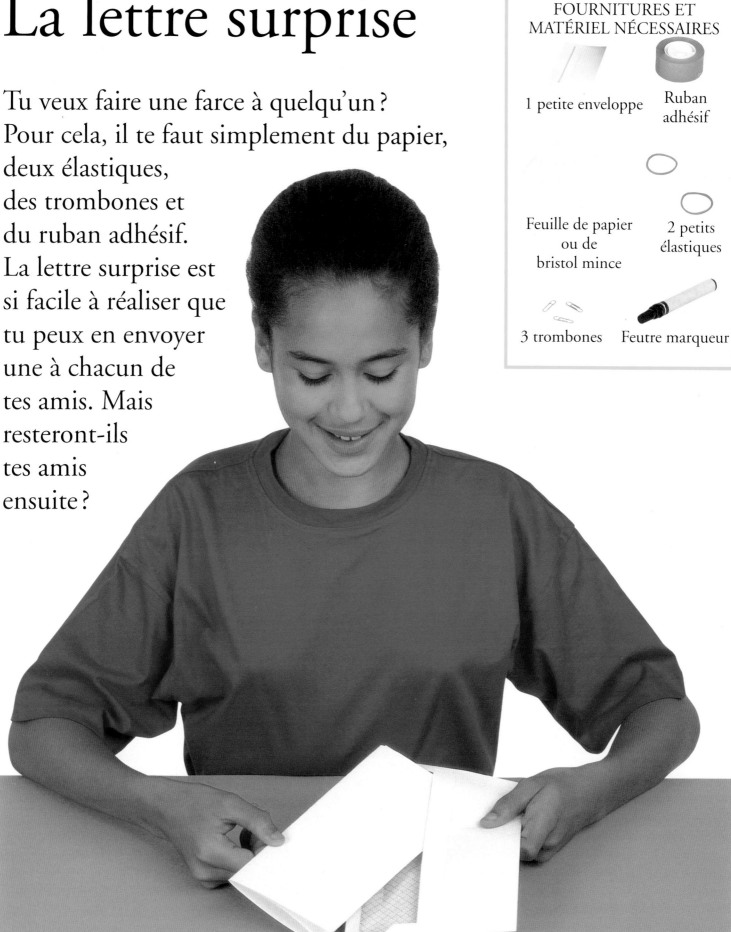

248

1 Plie la feuille de papier ou de bristol en trois parties égales et marque les plis. Déplie le papier.

2 Ouvre deux trombones en forme de L, comme indiqué. Déplie un autre trombone en forme de cercle. Attention, ne te pique pas !

3 Colle les L sur le papier avec du ruban adhésif et passe un élastique dans chaque extrémité, comme indiqué. Enfile les élastiques sur le cercle.

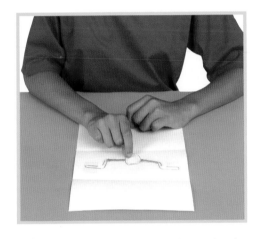

4 Fais tourner lentement le cercle plusieurs fois. Les élastiques vont se tordre et se tendre. Surtout ne lâche pas !

5 Replie le papier sans lâcher le cercle. Glisse avec précaution le papier plié dans l'enveloppe et colle-la.

6 Écris l'adresse au feutre marqueur. Envoie la lettre par la poste à ton ami(e).

7 Quand ton ami(e) ouvrira la lettre, les élastiques se dérouleront et le papier claquera bruyamment en lui causant une grande peur.

Le langage des mains

Il est parfois difficile d'envoyer un message à un ami dans un endroit silencieux. Au lieu de communiquer ton message à voix haute, utilise le langage des mains. Tu trouveras ici une série de signaux et leur signification. Ils te serviront à envoyer un message simple ou, en les associant, des instructions plus compliquées. Quand tu les connaîtras bien, tu pourras en inventer d'autres.

FOURNITURES

Tes mains (de préférence reliées à ton corps!)

1 **Chut!** Pose un doigt sur tes lèvres si tu veux que quelqu'un cesse de parler. Déplace le doigt vers ton oreille pour dire «écoute».

2 **Oui et non.** Poser le menton sur une main, pouce vers le haut, signifie «oui». Pour dire «non», mets le pouce vers le bas.

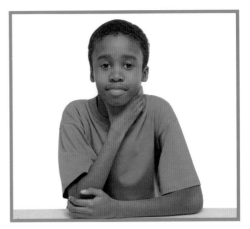

3 **Attention, danger!** Pose une main sur ton cou (sans serrer) pour avertir que la situation est dangereuse et qu'il faut faire attention.

4 **Viens ici.** Passer la main à travers les cheveux d'avant en arrière signifie «viens ici».

5 **Va-t-en.** Se cacher la figure derrière une main signifie «va-t-en», derrière les deux mains «va-t-en vite».

Quand tu sauras bien ces signaux, tu pourras en inventer d'autres. Pour ne pas les oublier, écris-les sur un carnet.

6 **Regarde.** Poser un doigt à côté de l'œil droit signifie «regarde à droite», à côté de l'œil gauche «regarde à gauche». Un doigt à côté de chaque œil signifie «regarde devant toi».

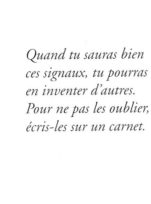

Le super défi

Tu dois faire sortir la quille du cercle en te servant d'une simple ficelle et d'un élastique. Ton complice et toi, vous n'avez pas le droit d'entrer dans le cercle ni de toucher la quille. La seule partie du sol que la quille peut toucher est celle où elle se trouve. Bonne chance !

FOURNITURES ET MATÉRIEL NÉCESSAIRES

Ciseaux Élastique

Quille en plastique Pelote de ficelle

Pas facile, ce super défi ! Ne te laisse pas impressionner, c'est le moment de faire travailler tes méninges pour libérer cette quille de sa prison !

1 Dessine à la craie un cercle de 1,50 m de diamètre (pour plus de clarté, nous avons utilisé ici un cerceau). Mets la quille au milieu du cercle. Coupe quatre fois 2 m de ficelle.

2 Enfile les ficelles à travers l'élastique qui doit se trouver au milieu de chaque ficelle. Tiens les extrémités des ficelles comme indiqué.

3 Tire doucement sur les ficelles pour tendre l'élastique et le poser facilement sur la quille. Fais-le passer juste en dessous de la tête de la quille.

4 Relâche un peu la ficelle pour que l'élastique se resserre autour de la quille. Soulève délicatement la quille et sors-la du cercle. Ne tends pas les ficelles, ce qui étirerait l'élastique et ferait tomber la quille.

5 Félicitations, tu as réussi. Au tour de tes amis !

Ce jeu est très amusant. Pour le rendre plus difficile, tu peux ne donner que quelques minutes à tes amis pour le réussir.

Index

Remerciements

Les éditeurs désirent remercier les enfants suivants pour les réalisations de ce livre : Nana Addae, Richard Addae, Mohammed Adil Ali Ahmed, Charlie Anderson, Lauren Andrews, Steve Aristizabal, Joshua Ashford, Emily Askew, Rula Awad, Nadia el-Ayadi, Nichola Barnard, Michael Bewley, Gurjit Kaur Bilkhu, Vikramjit Singh Bilkhu, Maria Bloodworth, Leah Bone, Chris Brown, Cerys Brunsdon, William Carabine, Kristina Chase, Chan Chuvinh, Ngan Chuvinh, Emma Cotton, Charlie Coulson, Charley Crittenden, Lawrence Defraitus, Vicky Dummigan, Kimberley Durrance, Holly Everett, Alaba Fashina, Terri Ferguson, Kirsty Fraser, Fiona Fulton, Nicola Game, George Georgiev, Lana Green, Liam Green, Sophia Groome, Laura Harris-Stewart, Lauren Celeste Hooper, Mitzi Johanna Hooper, Briony Irwin, Kayode Irwin, Isha Janneh, Rean Johnson, Reece Johnson, Sarah Kenna, Camille Kenny-Ryder, Lee Knight, Nicola Kreinczes, Kevin Lake, Victoria Lebedeva, Barry Lee, Kirsty Lee, Isaac John Lewis, Nicholas Lie, Alex Lindblom-Smith, Sophie Lindblom-Smith, Claire McCarthy, Erin McCarthy, Elouisa Markham, Laura Masters, Mickey Melaku, Imran Miah, Yew-Hong Mo, Kerry Morgan, Jessica Moxley, Aiden Mulcahy, Fiona Mulcahy, Tania Murphy, Lucy Nightingale, Ify Obi, Adenike Odeleye, Laurence Ody, Folake Ogundeyin, Fola Oladimeji, Ola Olawe, Lucy Oliver, Yemisi Omolewa, Kim Peterson, Mai-Anh Peterson, Josephina Quayson, Pedro Henrique Queiroz, Alexandra Richards, Leigh Richards, Jamie Rosso, Nida Sayeed, Alex Simons, Charlie Simpson, Antonino Sipiano, Marlon Stewart, Tom Swaine Jameson, Catherine Tolstoy, Maria Tsang, Frankie David Viner, Sophie Louise Viner, Devika Webb, Kate Yudt, Tanyel Yusef.

Nous remercions leurs parents et Hampden Gurney School, Walnut Tree Walk Primary School et St John the Baptist C. of E. School.

Les auteurs voudraient enfin remercier les personnes suivantes pour les fournitures et les conseils qu'ils leur ont apportés : Boots ; Dylon Consumer Advice ; Head Gardener, Knightsbridge ; Lady Jayne ; Mason Pearson, Kent ; Moton Brown ; Tesco. Un merci spécial à Justin d'Air Circus ; « Smiley Face » de Theatre Crew, Tunbridge Wells ; et la Bristol Juggling Convention.